Dein ist mein ganzes Herz

Dein ist mein ganzes Herz

Die schönsten Liebesgeschichten
der Bibel

Ausgewählt und eingeleitet von
Annegret Puttkammer

Deutsche Bibelgesellschaft
edition chrismon

Neuauflage des 2003 veröffentlichten Buches mit dem Titel
»Liebesgeschichten der Bibel«

Bibeltext:
Gute Nachricht Bibel
Revidierte Fassung, durchgesehene Ausgabe
© 2000 Deutsche Bibelgesellschaft, Stuttgart

Die Deutsche Bibelgesellschaft ist eine kirchliche Stiftung des öffentlichen Rechts. Sie übersetzt die biblischen Schriften, entwickelt und verbreitet innovative Bibelausgaben und eröffnet für alle Menschen Zugänge zur Botschaft der Bibel. International verantwortet sie die wissenschaftlichen Bibelausgaben in den Ursprachen. Durch die Weltbibelhilfe unterstützt sie in Zusammenarbeit mit dem Weltverband der Bibelgesellschaften (United Bible Societies) weltweit die Übersetzung und Verbreitung der Bibel, damit alle Menschen die Bibel in ihrer Sprache lesen können.
Weitere Informationen finden Sie unter www.die-bibel.de

ISBN 978-3-438-04816-5 (Deutsche Bibelgesellschaft)
ISBN 978-3-96038-132-7 (edition chrismon)

© 2003/2018 Deutsche Bibelgesellschaft, Stuttgart
Satz: Typograffiti Birgit Neumann, Neckartenzlingen
Einband: JoussenKarliczek GmbH, Schorndorf
Titelabbildung: iStock, © Pobytov
Gesamtherstellung: Livoniaprint, Riga
Alle Rechte vorbehalten
Printed in Latvia

www.die-bibel.de
www.eva-leipzig.de

Einleitung

Verliebt sein ist ein wunderbares Gefühl. Dieses »Kribbeln im Bauch«. Die Gänsehaut selbst bei jedem kleinen Gedanken an den »Liebling«. Feuchte Hände vor Aufregung und die Angst, etwas zu vermasseln. Sehnsuchtsvolle Tagträume und beim Einschlafen. Das Funkeln beim Sich-in-die-Augen-Schauen und das Knistern bei heimlichen Berührungen ...

Die erste Liebe vergisst man nie! Für die einen war es die sprichwörtliche »Sandkastenliebe«, für andere eine Grundschulliebe oder ein »Schwarm« in der Pubertät. Die erste »kleine« Liebe und erst recht die »erste große Liebe« behält ihren Platz in der Lebenserinnerung.

Glück entsteht, wenn aus dem Verliebtsein echte, tiefe Liebe wächst. Wenn zwei Menschen sich einander öffnen und miteinander vertraut werden, sich ihre schönen Seiten und Stück für Stück auch ihre Schattenseiten zeigen, wenn ihre Liebe wächst und tiefer wird und sie beschließen: Wir wollen unser Leben lang zusammenbleiben.

Wenn das geschieht, ist das ein Wunder. Niemand kann erklären, wie das geschieht. Und es ist auch ein Wagnis – denn niemand weiß, was die beiden an Schönem und Schwierigem miteinander erleben werden.

Das Verliebtsein und die Liebe gehören zum Menschsein untrennbar dazu. Der Mensch ist ja auf das Zusammensein mit anderen Menschen und in besonderer Weise auf die Zweierbeziehung ausgerichtet. Der andere Mensch ist Gegenüber und Ergänzung, man findet sich in ihm wieder und wird durch ihn verändert. Die Liebe ist ein wahres Gottesgeschenk, denn Gott hat die Menschen als Mann und Frau geschaffen, hat ihnen Vertrauen, Offenheit und Leidenschaft geschenkt.

Liebe ist ein kraftvoller innerer Motor. Vieles, was wir tun – Gutes und leider auch weniger Gutes –, tun wir aus Liebe. Vieles ertragen wir, vieles halten wir aus, vieles versuchen oder lassen wir, um geliebt zu werden. Als Kinder brauchen wir Zuneigung und Geborgenheit, sonst verkümmern wir. Als Erwachsene gibt uns die Liebe eines anderen Menschen Rückhalt und Selbstbewusstsein. Menschen, die sich geliebt wissen, können viel ertragen. Auch Ehepaare halten viel miteinander aus und durch. Sie erfahren, dass Belastungen sie zusammenschweißen und die Liebe darunter wachsen kann.

Mit den Jahren verändert sich die Liebe zwischen zwei Menschen. Sie wird häufig weniger leidenschaftlich, aber auch weniger launisch. Sie wird im guten Sinne alltäglich und damit belastbarer. »Wir können uns aufeinander verlassen«, sagen viele ältere Paare. »Wir haben unsere Streitigkeiten ausgetragen, wir wissen, was den anderen verletzt und stört. Deshalb wird unsere Ehe mit jedem Jahr harmonischer.« Und: »Es ist spannend, sich miteinander zu verändern, auf Herausforderungen gemeinsam zu reagieren.«

Wie schön, wenn das gelingt – und dabei keine Langeweile aufkommt, sondern die Spannung und der Respekt füreinander und die Neugier aufeinander bleiben. Der andere wird zwar vertraut, aber keineswegs bekannt.

Am Ende eines Lebens, wenn Bilanz gezogen wird, was sich gelohnt hat, was vergeblich war, was bleibt, kommen Menschen häufig zu dem Ergebnis: »Was zählt, ist die Liebe, die wir gegeben und empfangen haben.« Kein Geld der Welt, keine Karriere in Schwindel erregende Höhen, kein Nobelpreis kann die Liebe aufwiegen. Wer um seiner selbst willen angenommen ist, wer geborgen sein kann, wer für einen anderen Menschen im Mittelpunkt steht – der ist wirklich reich.

Leider ist manche Liebe mit Problemen belastet. Teils kommen sie von außen: der Druck der Familie, wirtschaftliche Schwierigkeiten, Krankheit. Andere Probleme stecken auch in der Kombination der beiden Liebenden. Die Psychologie erklärt, dass wir uns oft in einen Menschen verlieben, von dem wir hoffen, er werde die Defizite in unserem Leben ausfüllen. Oder wir verlieben uns in jemanden, der uns an Vater oder Mutter erinnert und das, was sie an uns versäumten, nachholt. Mit solchen – meist unbewussten – Anforderungen überfordern wir aber den anderen Menschen, der ja er selbst und nicht unser Wunschbild ist. Es bedeutet deshalb Arbeit, das Verliebtsein in echte Liebe zu verwandeln, denn die nimmt ja den

11

anderen auch mit seinen »anderen Seiten« wahr und ernst und an.

Liebe kann auch scheitern. Warum sie zerbricht, ist genauso rätselhaft wie ihr Entstehen. Es ist schmerzhaft, wenn eine Beziehung, die so hoffnungsvoll gestartet war, in die Brüche geht. Oft wird in aller Öffentlichkeit »schmutzige Wäsche gewaschen«, der aufgestaute und nie herausgelassene Ärger von Jahren bricht sich haltlos Bahn und zerstört, was vielleicht noch zu retten gewesen wäre. Enttäuschung und Schmerz sitzen tief. Psychologen sagen, dass es lange dauert, bis eine Trennung wirklich überwunden ist: Mindestens ein Viertel der Zeit, die eine Beziehung dauerte, braucht die Trauer um die zerbrochene Liebe. Manche Menschen kommen nie wieder über eine Trennung hinweg.

Ähnlich schlimm ist es, wenn Liebe nicht erwidert wird. Wenn der eine sich in Sehnsucht verzehrt, der andere aber die Gefühle nicht teilt – oder gar lächerlich macht. Zurückgestoßene Liebe kann sich rasch in ihr Gegenteil verwandeln: in abgrundtiefen Hass.

Eben weil die Liebe ein so tief gehendes Gefühl und so eng mit unserem innersten Verlangen verbunden ist, kann sie in Gewalt umschlagen. Harmlose Eifersucht kennt jeder. Die Reaktion auf enttäuschte Liebe kann aber über Körperverletzung bis zum Totschlag reichen.

Die Liebe durchzieht das ganze Leben. Und weil sie ein zentrales Lebensthema ist, ist sie auch ein intensives Bibelthema. Die Liebesgeschichten der Bibel erzählen davon, wie Paare sich finden – und wie der Alltag ihre Liebe belastet. Sie erzählen von Dreiecksbeziehungen ebenso wie von enttäuschter Liebe. Sie lassen die Verbindung von Liebe und Politik ebenso wenig aus wie das dunkle Thema der Vergewaltigung. Dass Liebe blind macht und so mancher aus Liebe den Kopf verlor, wusste man in biblischen Zeiten auch schon. Und auf die erfüllte Liebe singt die Bibel ein seitenlanges, aufregendes Loblied.

Dass Gott und die Liebe miteinander zu tun haben, weiß die Bibel selbstverständlich auch zu berichten. So machen etliche Paare der Bibel die Erfahrung, dass Gott eingreift, um ihre Liebe zu retten! Und dass »Gott die Liebe ist«, das erlebten die Propheten des Alten Testamentes ebenso, wie es Jesus vorlebte.

Lesen Sie mit Vergnügen und mit Neugier die biblischen Liebesgeschichten. Vieles kommt Ihnen sicher bekannt vor, anderes ist eine Entdeckungsreise in ein unbekanntes Land, das Sie in Erstaunen versetzen wird.

Ein Lob auf die Liebe

Das Hohelied

Wie aufregend und spannend die erblühende Liebe zwischen zwei Menschen ist, wie ihre Leidenschaft erglüht, die beiden sich heimlich treffen, vorsichtig ihre Körper ertasten, sich vor Sehnsucht verzehren, wie Eifersucht sie heimsucht und sie sich dann doch wieder finden und vereinen – dies alles besingen die Hochzeitslieder, die im Hohenlied des Alten Testamentes gesammelt sind. Sie finden anrührende Worte für die Hingabe und das tiefe Vertrauen liebender Menschen. Wunderbar poetische Verse sind es, ohne falsche Scham, doch niemals anzüglich.

Die Lieder sprechen vorsichtig tastend von Liebe und Leidenschaft, mit erotischen Bildern und Beispielen aus dem Alltag der Hirten und Bauern: Der Bräutigam vergleicht das Haar seiner Geliebten mit eine Herde Ziegen, ihre Zähne mit der Farbe frisch geschorener Schafe. Die Braut wiederum freut sich auf ihren Liebhaber, dessen Augen wie Tauben sind und dessen Haar schwarz wie ein Rabe.

Auch für die Brüste, für die Figur, für Liebkosen und Begehren finden die Liebenden zärtliche Umschreibungen:

»Deine Brüste sind zwei Zicklein, Zwillingsjunge der Gazelle« (4,5); »Meine Braut ist ein Garten voll erlesener Pflanzen ... Aber noch sind mir Garten und Quelle verschlossen!« (4,12.15).

Diese Lieder sind im alten Israel bei Hochzeiten gesungen worden. Sie entstanden im Laufe mehrerer Jahrhunderte. Die Melodien, zu denen sie gesungen wurden, kennen wir – wie bei den Psalmen – leider nicht.

Wie kommen solche Hochzeitslieder, die überfließen von der Lust auf Leidenschaft, in die Bibel, die doch vielen Menschen als lust- und körperfeindlich gilt? Zum einen, weil die Bibel diesem Vorurteil nun wirklich nicht entspricht. Und zum anderen, weil diese Hochzeitslieder auch auf Gott hin ausgelegt wurden und werden: als Bilder und Umschreibungen für die große Liebe Gottes zu seinen Menschen. Wie ein Bräutigam seine Braut, wie eine Braut ihren Bräutigam liebt, ihm nahe sein will, sich für sie verzehrt – so intensiv liebt auch Gott seine Menschen, so sehr will er bei ihnen sein, so selbstverständlich gibt er alles für sie hin.

Es gibt nicht viele Religionen, die von der Liebe Gottes sprechen – und noch viel weniger, die die Liebe Gottes mit der Liebe der Menschen vergleichen. So gesehen ist die Bibel eine einzige große Liebesgeschichte, ein Buch der großen Liebe Gottes. Und wie heiß seine Liebe zu uns brennt, das drücken die Hochzeitslieder im Hohenlied aus. Sie sind quasi durchsichtig für die Liebe Gottes. (Hoheslied 1–8)

15

Das schönste aller Lieder, von Salomo.

Die Rollenangaben (SIE, ER, usw.) sind nicht Bestandteil des Bibeltextes, sondern zur besseren Orientierung hinzugefügt.

SIE

Komm doch und küss mich!
Deine Liebe berauscht mich
mehr noch als Wein.
Weithin verströmen
deine kostbaren Salben
herrlichen Duft.
Jedermann kennt dich,
alle Mädchen im Lande
schwärmen für dich!
Komm, lass uns eilen,
nimm mich mit dir nach Hause,
fass meine Hand!
Du bist mein König!
Deine Zärtlichkeit gibt mir
Freude und Glück.
Rühmen und preisen
will ich stets deine Liebe,
mehr als den Wein!
Mädchen, die schwärmen,
wenn dein Name genannt wird,
schwärmen zu Recht!

SIE
Schwarz gebrannt hat mich die Sonne,
schwarz wie Beduinenzelte,
wie die Decken Salomos.
Trotzdem bin ich schön, ihr Mädchen
aus der Stadt Jerusalem!
Seht nicht so auf mich herunter,
weil ich dunkler bin als ihr.
Draußen muss ich alle Tage
meiner Brüder Weinberg hüten.
Doch für meinen eigenen Weinberg
– für mich selbst – kann ich nicht sorgen;
dafür bleibt mir keine Zeit!

SIE
Sag mir, Geliebter,
wo kann ich dich finden?
Wo ruhn deine Schafe
mittags, wenn's heiß wird?
Andere Hirten,
was sollen sie denken,
wenn ich nach dir frage,
überall suche?

ER
Musst du mich fragen,
du Schönste der Frauen?
Du musst es doch wissen,
wo du mich findest!
Nimm deine Zicklein
und folge dem Schafsweg!
Dort wirst du mich treffen,
nah bei den Zelten.

ER
Prächtig und schön siehst du aus, meine Freundin,
stolz wie die Stute an Pharaos Wagen!
Schmückende Kettchen umrahmen die Wangen
und deinen Hals zieren Schnüre mit Perlen.
Aber noch schöneren Schmuck sollst du haben:
silberne Perlen an Kettchen aus Gold!

SIE
Solange mein König mir nahe ist,
verbreitet mein Nardenöl seinen Duft.
Mein Liebster liegt bei mir, an meiner Brust,
er duftet wie würziges Myrrhenharz,
so kräftig wie Blüten vom Hennastrauch;
im Weinberg von En-Gedi wachsen sie.

ER
Schön bist du, zauberhaft schön, meine Freundin,
und deine Augen sind lieblich wie Tauben!

SIE
Stattlich und schön bist auch du, mein Geliebter!
Sieh, unser Lager ist blühendes Gras,
Balken in unserem Haus sind die Zedern
und die getäfelten Wände Zypressen.

SIE

Eine Frühlingsblume bin ich,
wie sie in den Wiesen wachsen,
eine Lilie aus den Tälern.

ER

Eine Lilie unter Disteln –
so erscheint mir meine Freundin
unter allen anderen Mädchen.

SIE

Wie ein Apfelbaum im Walde
ist mein Liebster unter Männern.
Seinen Schatten hab ich gerne,
um mich darin auszuruhen;
seine Frucht ist süß für mich.

SIE
Ins Festhaus hat mein Liebster mich geführt;
Girlanden zeigen an, dass wir uns lieben.
Stärkt mich mit Äpfeln, mit Rosinenkuchen,
denn Liebessehnsucht hat mich krank gemacht.
Sein linker Arm liegt unter meinem Kopf
und mit dem rechten hält er mich umschlungen.
Ihr Mädchen von Jerusalem, lasst uns allein!
Denkt an die scheuen Rehe und Gazellen:
Wir lieben uns, schreckt uns nicht auf!

SIE

Mein Freund kommt zu mir!
Ich spür's, ich hör ihn schon!
Über Berge und Hügel
eilt er herbei.
Dort ist er –
schnell wie ein Hirsch,
wie die flinke Gazelle.
Jetzt steht er vorm Haus!
Er späht durch das Gitter,
schaut zum Fenster herein.
Nun spricht er zu mir!

ER

Mach schnell, mein Liebes!
Komm heraus, geh mit!
Der Winter ist vorbei mit seinem Regen.
Es grünt und blüht, so weit das Auge reicht.
Im ganzen Land hört man die Vögel singen;
nun ist die Zeit der Lieder wieder da!
Sieh doch: Die ersten Feigen werden reif;
die Reben blühn, verströmen ihren Duft.
Mach schnell, mein Liebes!
Komm heraus, geh mit!
Verbirg dich nicht vor mir wie eine Taube,
die sich in einem Felsenspalt versteckt.
Mein Täubchen, zeig dein liebliches Gesicht
und lass mich deine süße Stimme hören!

...

DIE MÄDCHEN
Ach, fangt uns doch die Füchse,
die frechen, kleinen Füchse!
Sie wühlen nur im Weinberg,
wenn unsre Reben blühn.

SIE
Nur mir gehört mein Liebster
und ich gehöre ihm!
Er findet seine Weide,
wo viele Blumen stehn.
Am Abend, wenn es kühl wird
und alle Schatten fliehn,
dann komm zu mir, mein Liebster!
Komm, eile wie ein Hirsch;
sei flink wie die Gazelle,
die in den Bergen wohnt.

SIE

Nachts lieg ich auf dem Bett und kann nicht schlafen.
Ich sehne mich nach ihm und suche ihn,
doch nirgends kann mein Herz den Liebsten finden.
Ich seh mich aufstehn und die Stadt durcheilen,
durch Gassen streifen, über leere Plätze –
ich sehne mich nach ihm und suche ihn,
doch nirgends kann ich meinen Liebsten finden.
Die Wache greift mich auf bei ihrem Rundgang.
»Wo ist mein Liebster, habt ihr ihn gesehn?«
Nur ein paar Schritte weiter find ich ihn.
Ich halt ihn fest und lass ihn nicht mehr los;
ich nehm ihn mit nach Hause in die Kammer,
wo meine Mutter mich geboren hat.
Ihr Mädchen von Jerusalem, lasst uns allein!
Denkt an die scheuen Rehe und Gazellen:
Wir lieben uns, schreckt uns nicht auf!

DIE ZUSCHAUER
Was kommt dort herauf aus der Wüste?
Wie Rauchsäulen zieht es heran;
es duftet nach Weihrauch und Myrrhe,
nach allen Gewürzen der Händler.
Schaut hin! Das ist Salomos Sänfte,
geleitet von sechzig Beschützern,
von Israels tapfersten Helden,
im Kampfe erprobt und bewährt.
Das Schwert hat ein jeder am Gürtel
zum Schutz gegen nächtliche Schrecken.
Aus edelstem Holz ließ der König
den tragbaren Thronsessel machen,
die Säulen mit Silber beschlagen,
die Lehne mit Gold überziehen.
Aus purpurnem Stoff sind die Kissen,
mit Liebe gewebt und bestickt
von Jerusalems Frauen und Mädchen.
Ihr Frauen von Zion, kommt her,
den König zu sehn und die Krone,
mit der seine Mutter ihn schmückte
zum heutigen Tag seiner Hochzeit,
dem Tag voller Freude und Glück.

ER

Preisen will ich deine Schönheit,
du bist lieblich, meine Freundin!
Deine Augen sind wie Tauben,
flattern hinter deinem Schleier.
Wie die Herde schwarzer Ziegen
talwärts vom Berg Gilead zieht,
fließt das Haar auf deine Schultern.
Weiß wie frisch geschorne Schafe,
wenn sie aus der Schwemme steigen,
glänzen prächtig deine Zähne,
keiner fehlt in seiner Reihe.
Wie ein scharlachrotes Band
ziehn sich deine feinen Lippen.
Wangen hinterm Schleier
schimmern rötlich wie die Scheibe
eines Apfels vom Granatbaum.
Wie der Turm des Königs David,
glatt und rund, geschmückt mit tausend
blanken Schilden, ragt dein Hals.
Deine Brüste sind zwei Zicklein,
Zwillingsjunge der Gazelle,
die in Blumenwiesen weiden.
Wenn die Schatten länger werden
und der Abend Kühle bringt,
komm ich zu dir, ruh auf deinem
Myrrhenberg und Weihrauchhügel.
Deine Schönheit will ich preisen!

26

Du bist lieblich, meine Freundin,
und kein Fehler ist an dir!

ER
Komm, meine Braut, geh doch mit, lass die Berge!
Lass den gefahrvollen Libanon, komm!
Fort von dem Gipfel des Berges Amana,
fort vom Senir und vom ragenden Hermon,
fort von den Lagerplätzen der Löwen,
fort von den Bergen der Panther, komm mit!

ER

Verzaubert hast du mich,
Geliebte, meine Braut!
Ein Blick aus deinen Augen
und ich war gebannt.
Sag, birgt er einen Zauber,
an deinem Hals der Schmuck?
Wie glücklich du mich machst
mit deiner Zärtlichkeit!
Mein Mädchen, meine Braut,
ich bin von deiner Liebe
berauschter als von Wein.
Du duftest süßer noch
als jeder Salbenduft.
Wie Honig ist dein Mund,
mein Schatz, wenn du mich küsst,
und unter deiner Zunge
ist süße Honigmilch.
Die Kleider, die du trägst,
sie duften wie der Wald
hoch auf dem Libanon.

ER
Meine Braut ist ein Garten
voll erlesener Pflanzen!
An Granatapfelbäumen
reifen köstliche Früchte.
Herrlich duften die Rosen
und die Blüten der Henna.
Narde, Safran und Kalmus,
alle Weihrauchgewächse,
Zimt und Aloë, Myrrhe,
alle Arten von Balsam
sind im Garten zu finden.
Eine Quelle entspringt dort
mit kristallklarem Wasser,
das vom Libanon herkommt.
Aber noch sind mir Garten
und Quelle verschlossen!

SIE
Kommt doch, ihr Winde,
durchweht meinen Garten!
Nordwind und Südwind,
erweckt seine Düfte!
Komm, mein Geliebter,
betritt deinen Garten!
Komm doch und iss
seine köstlichen Früchte!

…

ER
Ich komm in den Garten,
zu dir, meine Braut!
Ich pflücke die Myrrhe,
die würzigen Kräuter.
Ich öffne die Wabe
und esse den Honig.
Ich trinke den Wein,
ich trinke die Milch.
Esst, Freunde, auch ihr,
und trinkt euren Wein;
berauscht euch an Liebe!

SIE

Ich lag im Schlaf, jedoch mein Herz blieb wach.
Da klopft's! Ich weiß: Mein Freund steht vor der Tür.

ER

»Mach auf, mein Schatz, mach auf, ich will zu dir!
Mein Täubchen, öffne doch, lass mich hinein!
Mein Haar ist nass vom Tau der kühlen Nacht.«

SIE

»Ich habe doch mein Kleid schon ausgezogen
und müsst es deinetwegen wieder anziehn.
Auch meine Füße habe ich gewaschen;
ich würde sie ja wieder schmutzig machen!«
Durchs Fenster an der Tür greift seine Hand;
ich höre, wie sie nach dem Riegel sucht.
Mein Herz klopft laut und wild. Er ist so nah!
Ich springe auf und will dem Liebsten öffnen.
Als meine Hände nach dem Riegel greifen,
da sind sie feucht von bestem Myrrhenöl.
Schnell öffne ich die Tür für meinen Freund;
doch er ist fort, ich kann ihn nicht mehr sehn.
Mein Herz steht still, fast tötet mich der Schreck!
Ich suche meinen Freund, kann ihn nicht finden.
Ich rufe ihn, doch er gibt keine Antwort.
Die Wächter finden mich bei ihrem Rundgang.
Sie schlagen ohne Mitleid auf mich ein
und reißen mir den Umhang von den Schultern.

31

SIE

Ihr Mädchen alle, ich beschwöre euch:
Wenn euch mein Freund begegnet, sagt ihm doch,
die Liebessehnsucht macht mich matt und krank!

DIE MÄDCHEN

Beschreib ihn uns,
du schönste aller Frauen!
Wer ist es, den du suchst?
Was unterscheidet ihn
von anderen Männern,
dass du uns so beschwörst?

SIE

Mein Liebster ist blühend und voller Kraft,
nur einer von Tausenden ist wie er!
Sein schönes Gesicht ist so braun gebrannt,
sein Haar dicht und lockig und rabenschwarz.
Die Augen sind lebhaften Tauben gleich.
Ganz weiß sind die Zähne, als hätten sie
gebadet in Bächen von reiner Milch.
Die Wangen sind Beete voll Balsamkraut,
die herrlichsten Würzkräuter sprießen dort.
Wie Lilien leuchtet sein Lippenpaar,
das feucht ist von fließendem Myrrhenöl.
Die Arme sind Barren aus rotem Gold,
mit Steinen aus Tarschisch rundum besetzt.
32   Sein Leib ist ein Kunstwerk aus Elfenbein,

geschmückt mit Saphiren von reinster Art.
Die Beine sind marmornen Säulen gleich,
die sicher auf goldenen Sockeln stehn.
Dem Libanon gleicht er an Stattlichkeit,
den ragenden Zedern an Pracht und Kraft.
Sein Mund ist voll Süße, wenn er mich küsst –
ja, alles an ihm ist begehrenswert!
Seht, so ist mein Liebster und so mein Freund.
Nun wisst ihr's, ihr Mädchen Jerusalems!

DIE MÄDCHEN
Schnell, sag uns noch,
du schönste aller Frauen:
Wo ging dein Liebster hin?
Wir wollen mit dir gehn
und nach ihm suchen!
Wo könnte er denn sein?

SIE
Er ist in seinem Garten,
wo Balsamsträucher stehn,
wo er die Herde weidet
und schöne Lilien pflückt.
Nur mir gehört mein Liebster
und ich gehöre ihm!
Er findet seine Weide,
wo viele Blumen stehn.

33

Er

Schön wie Tirza bist du, Freundin,
strahlend wie Jerusalem;
wie ein Trugbild in der Wüste
raubt dein Anblick mir den Atem.
Wende deine Augen von mir,
denn sie halten mich gefangen.
Wie die Herde schwarzer Ziegen
talwärts vom Berg Gilead zieht,
fließt das Haar auf deine Schultern.
Deine Zähne glänzen prächtig.
Weiß sind sie wie Mutterschafe,
wenn sie aus der Schwemme steigen;
jedes kommt mit seinem Jungen,
keins ist unfruchtbar geblieben:
Keiner fehlt in seiner Reihe.
Deine Wangen hinterm Schleier
schimmern rötlich wie die Scheibe
eines Apfels vom Granatbaum.
Lass den König sechzig Frauen,
achtzig Konkubinen haben,
dazu Mädchen ohne Zahl!
Meine Liebe gilt nur einer:
meinem makellosen Täubchen!
Sie ist ihrer Mutter Liebling,
denn sie ist die einzige Tochter.
Sähen sie die andern Frauen,

Königinnen, Konkubinen,
alle würden sie besingen:

DIE FRAUEN
»Wer leuchtet so schön wie das Morgenrot,
so hell wie der Mond, wie der Sonne Strahl,
verwirrend wie Bilder im Wüstensand?«

ER
Ich ging hinunter in den Walnussgarten,
um mich am frischen Grün des Tals zu freuen,
des Weinstocks neue Triebe anzuschauen
und auch die ersten Blüten am Granatbaum.

SIE
Was ist mit mir? Ich kann mich kaum beherrschen,
obwohl ich doch aus edlem Hause stamme!

Die Mädchen und Frauen
Komm, dreh dich im Hochzeitstanz, Schulammít!
Komm, dreh dich im Tanze und lass dich sehn!

Sie
Was habt ihr davon, mich beim Tanz zu sehn?
Was ist denn Besonderes an Schulammít?

Er
Deine Füße sind zierlich
in den Schuhen, du Fürstin!
Und das Rund deiner Hüften
ist das Werk eines Künstlers!
Einer Schale, der niemals
edler Wein fehlen möge,
gleicht dein Schoß, süßes Mädchen!
Wie ein Hügel von Weizen
ist dein Leib, rund und golden
und von Lilien umstanden.
Deine Brüste sind herzig
wie zwei junge Gazellen.
Einem Elfenbeinturm gleich
ist dein Hals, schlank und schimmernd.
Deine Augen – zwei Teiche
nah beim Tore von Heschbon.
Deine Nase ist zierlich
wie der Vorsprung des Wachtturms
36 an dem Weg nach Damaskus.

Wie das Karmelgebirge
ist dein Kopf, hoch und prächtig.
Voller Glanz ist dein Haupthaar;
in dem Netz deiner Locken
liegt ein König gefangen.

ER
Du bist schön wie keine andere,
dich zu lieben macht mich glücklich!
Schlank wie eine Dattelpalme
ist dein Wuchs, und deine Brüste
gleichen ihren vollen Rispen.
Auf die Palme will ich steigen,
ihre süßen Früchte pflücken,
will mich freun an deinen Brüsten,
welche reifen Trauben gleichen.
Deinen Atem will ich trinken,
der wie frische Äpfel duftet,
mich an deinem Mund berauschen,
denn er schmeckt wie edler Wein …

SIE
… der durch deine Kehle gleitet,
dich im Schlaf noch murmeln lässt.

37

SIE

Nur ihm, meinem Liebsten, gehör ich
und mir gilt sein ganzes Verlangen!
Komm, lass uns hinausgehn, mein Liebster,
die Nacht zwischen Blumen verbringen!
Ganz früh stehn wir auf, gehn zum Weinberg
und sehn, ob die Weinstöcke treiben,
die Knospen der Reben sich öffnen
und auch die Granatbäume blühen.
Dort schenke ich dir meine Liebe!

SIE

Kannst du den Duft der Liebesäpfel spüren?
Vor unsrer Tür ist köstlich süßes Obst,
die allerbesten Früchte, alt und neu,
für dich, mein Liebster, sind sie aufbewahrt!

SIE

Ich wünschte mir, dass du mein Bruder wärst,
den meine Mutter an der Brust genährt hat.
Dann dürfte ich dich unbekümmert küssen,
wenn ich dich draußen auf der Straße treffe,
und niemand würde dann die Nase rümpfen.
Ich nähm dich mit zum Hause meiner Mutter;
du könntest mich im Zärtlichsein belehren,
ich gäbe dir gewürzten Wein zu trinken
und meinen Most von Früchten des Granatbaums.
Sein linker Arm liegt unter meinem Kopf
und mit dem rechten hält er mich umschlungen.
Ihr Mädchen alle, ich beschwöre euch,
dass ihr uns nicht in unsrer Liebe stört!

DIE MÄDCHEN
Wer kommt dort herauf aus der Wüste,
gestützt auf den Arm ihres Liebsten?

SIE
Hier unterm Apfelbaum
hab ich dich aufgeweckt,
wo deine Mutter dich
empfing und auch gebar.
Du trägst den Siegelring
an einer Schnur
auf deiner Brust.
So nimm mich an dein Herz!
Du trägst den Reif
um deinen Arm.
So eng umfange mich!
Unüberwindlich
ist der Tod:
Niemand entrinnt ihm,
keinen gibt er frei.
Unüberwindlich –
so ist auch die Liebe,
und ihre Leidenschaft
brennt wie ein Feuer.
Kein Wasser kann die Glut der Liebe löschen
und keine Sturzflut schwemmt sie je hinweg.
Wer meint, er könne solche Liebe kaufen,
der ist ein Narr, er hat sie nie gekannt!

IHRE BRÜDER
Noch ist unsre kleine Schwester
für die Liebe viel zu jung,
denn sie hat noch keine Brüste.
Kommt sie erst ins rechte Alter,
dass sie jemand freien will,
müssen ihre Brüder wachen.
Sperrt sie sich wie eine Mauer,
schmückt man sie mit Silberzinnen.
Gleicht sie einer offenen Pforte,
schließt man sie mit Zedernbalken.

SIE
Eine starke Mauer bin ich,
Türmen gleichen meine Brüste.
Trotzdem will ich mich ergeben,
bitte meinen Freund um Frieden.

Er
Salomo hat einen Weinberg
auf dem Hang von Ba'al-Hamon.
Für die Ernte würde jeder
tausend Silberstücke zahlen;
darum wird er streng bewacht.
Salomo gönn ich die tausend,
auch den Wächtern noch zweihundert –
ich hab meinen eigenen Weinberg!

Er
Du Mädchen in den Gärten,
die Freunde warten schon:
Lass deine Stimme hören
und rufe mich zu dir!

Sie
Komm schnell zu mir, mein Liebster!
Komm, eile wie ein Hirsch;
sei flink wie die Gazelle,
die in den Bergen wohnt.

Wie Paare sich finden

Die Geschichten des Alten Testamentes entstanden größtenteils in der Zeit des Alten Orients – und so spiegeln sie auch die damalige Gesellschaftsform wider: Die Menschen lebten in Großfamilien und Sippen zusammen. Oberhaupt war der älteste Mann der Hauptfamilie. Er sorgte für die Seinen und musste sie durch die Unbilden des Lebens führen.

Der Bestand der Großfamilie war durch Hungersnöte, Kriege und Krankheiten gefährdet. Oberstes Ziel war die Erhaltung der Sippe, ihm musste sich alles andere unterordnen.

So hatten auch Liebe, Partnerschaft und Ehe meist wenig Romantisches an sich. Sie dienten der Fortpflanzung. In der Regel wurden Mann und Frau – oftmals auch ein Mann und mehrere Frauen – »verbunden«, d.h. auf Rat und Beschluss der Sippenältesten verheiratet. Welche Gefühle die beiden dabei hegten, spielte, wenn überhaupt, eher die zweite Rolle. Wichtig war, dass die Herden und Äcker in der Hand einer Familie blieben und die Sippe durch viele Kinder im Bestand gesichert wurde.

Umso erstaunlicher ist es, dass die Bibel auch »Ehefindungsgeschichten« erzählt, die durchaus unserer Vorstellung von romantischer Liebe nahe kommen.

Liebe auf den ersten Blick
Adam und Eva

Von Gefühlen ist in der ersten Liebesgeschichte der Bibel zunächst gar nicht die Rede, sondern vom Brauchen. Der erste Mensch braucht nämlich Hilfe, braucht eine Partnerin und ein Gegenüber. Gott hatte den Menschen geschaffen, zunächst als Einzelwesen, und ihn in die Welt gesetzt. Als Bauer sollte er das Land bestellen und pflegen. Doch schnell wird klar: Das kann er nicht allein. Er braucht dazu ein anderes Wesen an seiner Seite, das ihn ergänzt und verantwortlich ist wie er. Können ihm die Tiere helfen? Er schaut sie alle in Ruhe an, gibt ihnen Namen – doch ein wirklicher Partner kann keines von ihnen sein. Und so erschafft Gott die »Menschin«, die Frau. Ganz eng ist sie dem Mann verwandt, quasi aus demselben Holz geschnitzt. Der Mann schaut die Frau an und sieht sofort: Die passt zu mir. Die gehört zu mir. Die versteht mich. Es ist tatsächlich »Liebe auf den ersten Blick«.

Alles, was die Beziehung von Mann und Frau bis heute ausmacht, ist schon in den Anfängen angelegt: Sie sind einander ähnlich und doch verschieden. Weil sie einander zum Leben brauchen, suchen sie sich. Und weil sie doch unterschiedlich sind, reiben sie sich aneinander. Hinter dieser alten Geschichte steht ein fortschrittliches Bild von der Liebe, das durchaus nicht selbstverständlich ist: Mann und Frau leben als Partner und ergänzen sich. Und ihre Zweisamkeit hat ein Ziel: Sie sollen in dieser Welt segensreich wirken. (1. Mose / Genesis 2,4-9.15-25)

Dies ist die Geschichte der Entstehung von Himmel und Erde; so hat Gott sie geschaffen.

Als Gott, der HERR, Erde und Himmel machte, gab es zunächst noch kein Gras und keinen Busch in der Steppe; denn Gott hatte es noch nicht regnen lassen. Es war auch noch niemand da, der das Land bearbeiten konnte. Nur aus der Erde stieg Wasser auf und tränkte den Boden.

Da nahm Gott, der HERR, Staub von der Erde, formte daraus den Menschen und blies ihm den Lebensatem in die Nase. So wurde der Mensch ein lebendes Wesen.

Dann legte Gott im Osten, in der Landschaft Eden, einen Garten an. Er ließ aus der Erde alle Arten von Bäumen wachsen. Es waren prächtige Bäume und ihre Früchte schmeckten gut. Dorthin brachte Gott den Menschen, den er gemacht hatte.

In der Mitte des Gartens wuchsen zwei besondere Bäume: der Baum des Lebens, dessen Früchte Unsterblichkeit schenken, und der Baum der Erkenntnis, dessen Früchte das Wissen verleihen, was für den Menschen gut und was für ihn schlecht ist.

Gott, der HERR, brachte also den Menschen in den Garten Eden. Er übertrug ihm die Aufgabe, den Garten zu pflegen und zu schützen. Weiter sagte er zu ihm: »Du darfst von allen Bäumen des Gartens essen, nur nicht vom Baum der Erkenntnis. Sonst musst du sterben.«

Gott, der HERR, dachte: »Es ist nicht gut, dass der Mensch so allein ist. Ich will ein Wesen schaffen, das ihm hilft und das zu ihm passt.«

So formte Gott aus Erde die Tiere des Feldes und die Vögel. Dann brachte er sie zu dem Menschen, um zu sehen, wie er jedes Einzelne nennen würde; denn so sollten sie heißen. Der Mensch gab dem Vieh, den wilden Tieren und den Vögeln ihre Namen, doch unter allen Tieren fand sich keins, das ihm helfen konnte und zu ihm passte.

Da versetzte Gott, der HERR, den Menschen in einen tiefen Schlaf, nahm eine seiner Rippen heraus und füllte die Stelle mit Fleisch. Aus der Rippe machte er eine Frau und brachte sie zu dem Menschen. Der freute sich und rief: »Endlich! Sie ist's! Eine wie ich! Sie gehört zu mir, denn von mir ist sie genommen.«

Deshalb verlässt ein Mann Vater und Mutter, um mit seiner Frau zu leben. Die zwei sind dann eins, mit Leib und Seele. Die beiden waren nackt, aber sie schämten sich nicht voreinander.

Brautschau am Brunnen
Rebekka und Isaak

Isaak und Rebekka kamen auf sehr traditionelle Weise zueinander. Abraham, der Stammvater Israels, hatte auf Gottes Befehl seine alte Heimat verlassen und war in das Gebiet des heutigen Israel/Palästina gezogen – ungefähr um 1500 v. Chr. dürfte das gewesen sein. Als er für seinen Sohn Isaak eine passende Frau suchte, wollte er, dass Isaak eine Frau aus der »alten Heimat«, aus der eigenen Sippe heiraten sollte. Als Eheanbahner sandte er seinen ältesten Knecht, seinen engsten Vertrauten, dorthin. Er hatte die schwierige Aufgabe, eine gute, d. h. äußerlich und innerlich attraktive Frau für den Sohn des Stammvaters zu finden. Auf der weiten Reise in die alte Heimat überlegte er sich die Kriterien: Gastfreundlich, zuvorkommend, höflich und weit blickend sollte sie sein. Der erste Eindruck würde entscheiden: Daran, wie sie sich ihm und seinen Kamelen gegenüber verhielte, würde er erkennen, wer die Richtige wäre.

Der Vertraute Abrahams machte an einem Brunnen Halt. Dies war die »Infobörse« der damaligen Zeit: Dort traf man sich beim Wasserholen, dort wurden die neuesten Neuigkeiten ausgetauscht, Geburten und Todesfälle bekannt gegeben – und auch Ehen angebahnt. Der Knecht traf tatsächlich auf eine junge Frau, die alle seine Kriterien erfüllte ... Später, im Zelt der Familie wird deutlich, dass er nicht nur auf die richtige Frau, sondern auch auf die passende Sippschaft gestoßen ist. Wer diese Geschichte liest, erkennt: Gott hat seine Hand im Spiel bei dieser Eheanbahnung. Er überlässt es nicht dem Zufall, wen der Sohn von Abraham heiratet, geht es doch um die Geschicke seines Volkes Israel.

Die Eheleute, die einander vorher noch nie begegnet sind, gewinnen einander lieb. Dies ist eine bemerkenswerte

47

Notiz am Ende der Geschichte – denn normalerweise
spielten die Gefühle in einer Eheanbahnung kaum eine
Rolle.
Und noch etwas ist bemerkenswert: Die Ehe mit Rebekka
tröstete Isaak über den Tod seiner Mutter Sara. Dies ist
sicher eine Erfahrung, die viele Menschen machen: dass
Liebe den Tod anzunehmen hilft. (1. Mose / Genesis 24,1-
67)

Abraham war sehr alt geworden. Der HERR hatte ihn
gesegnet und ihm alles gelingen lassen. Eines Tages
sagte er zu seinem ältesten Knecht, der seinen ganzen
Besitz verwaltete: »Leg deine Hand zwischen meine Beine
und schwöre mir! Versprich mir beim HERRN, dem Gott des
Himmels und der Erde, dass du für meinen Sohn Isaak
keine Frau auswählst, die hier aus dem Land Kanaan
stammt. Gib mir dein Wort, dass du in meine Heimat gehst
und ihm eine Frau aus meiner Verwandtschaft suchst.«
Der Besitzverwalter sagte: »Was soll ich aber tun, wenn die
Frau mir nicht hierher folgen will? Soll ich dann deinen
Sohn wieder in deine Heimat zurückbringen?«
»Auf keinen Fall!«, sagte Abraham. »Das darfst du niemals
tun! Der HERR, der Gott des Himmels, wird seinen Engel vor
dir herschicken, sodass dein Auftrag gelingt und die Frau
dir folgen wird. Er hat mich aus meiner Sippe und Heimat
weggeholt und mir mit einem Schwur zugesagt, dass er
meinen Nachkommen dieses Land geben wird. Wenn die
Frau dir nicht folgen will, bist du nicht mehr an deinen

Schwur gebunden. Aber auf keinen Fall darfst du meinen Sohn dorthin zurückbringen!«

Da legte der Verwalter seine Hand zwischen die Beine Abrahams und schwor ihm, alles so auszuführen, wie er es verlangt hatte. Dann machte er zehn von den Kamelen seines Herrn reisefertig, nahm wertvolle Geschenke mit und reiste nach Mesopotamien, in die Stadt, in der die Familie von Abrahams Bruder Nahor lebte.

Als er dort ankam, hielt er an der Quelle vor der Stadt an und ließ die Kamele niederknien. Es war gegen Abend, um die Zeit, wenn die Frauen zum Wasserholen herauskommen.

»HERR, du Gott meines Herrn Abraham«, betete er, »gib mir Glück zu meinem Vorhaben! Sei gut zu meinem Herrn und erfülle seinen Wunsch! Gleich werden die jungen Mädchen aus der Stadt hierher kommen und Wasser schöpfen. Dann will ich eins von ihnen bitten: ›Reiche mir deinen Krug, damit ich trinken kann!‹ Wenn das Mädchen sagt: ›Trink nur; ich will auch deinen Kamelen zu trinken geben‹, dann weiß ich: Sie ist es, die du für deinen Diener Isaak bestimmt hast. Daran werde ich erkennen, dass du zu meinem Herrn gut bist und seinen Wunsch erfüllt hast.«

Kaum hatte er zu Ende gebetet, da kam aus der Stadt ein Mädchen mit einem Wasserkrug auf der Schulter. Es war Rebekka, die Tochter von Betuël und Enkelin von Milka, der Frau von Abrahams Bruder Nahor. Sie war sehr schön und noch nicht verheiratet; kein Mann hatte sie berührt. Sie ging die Stufen zum Wasser hinab, füllte ihren Krug, hob ihn auf die Schulter und kam wieder herauf. **49**

Schnell trat der Verwalter Abrahams auf sie zu und bat sie: »Gib mir doch einen Schluck Wasser aus deinem Krug!«

»Trink nur, Herr!«, sagte das Mädchen, ließ sogleich den Krug auf ihre Hand herunter und hielt ihn so, dass er trinken konnte. Als er genug getrunken hatte, sagte sie: »Ich will noch mehr Wasser holen, damit auch deine Kamele trinken können!«

Sie leerte den Krug in die Tränkrinne, stieg rasch wieder zur Quelle hinab und schöpfte so lange, bis alle Kamele genug hatten. Abrahams Verwalter stand schweigend dabei und schaute ihr zu. Er wartete gespannt, ob der Herr seine Reise gelingen lassen würde.

Als die Kamele getrunken hatten, holte er für Rebekka einen kostbaren goldenen Nasenring und zwei schwere goldene Armreifen hervor und sagte zu ihr: »Wessen Tochter bist du? Hat dein Vater in seinem Haus vielleicht Platz für uns, damit wir übernachten können?«

»Ich bin die Tochter von Betuël«, antwortete sie; »es ist der Betuël, den die Milka dem Nahor geboren hat. Wir haben Platz genug und auch Stroh und Futter für die Tiere.«

Da warf sich der Verwalter Abrahams vor dem Herrn nieder und betete: »Dank sei dir, Herr, du Gott meines Herrn Abraham! Du hast ihm deine Güte und Treue bewahrt und hast mich geradewegs zu den Verwandten meines Herrn geführt.«

Das Mädchen lief inzwischen nach Hause zu ihrer Mutter und erzählte, was sie erlebt hatte. Sie hatte einen Bruder, der hieß Laban. Als der den goldenen Schmuck sah und hörte, was der Mann zu ihr gesagt hatte, lief er hinaus an die Quelle. Dort wartete Abrahams Besitzverwalter noch mit den Kamelen.

»Komm herein zu uns!«, rief Laban. »Du bringst den Segen des HERRN mit. Warum bleibst du hier draußen? Ich habe schon alles herrichten lassen, auch für deine Kamele ist genug Platz.«

Da ging der Verwalter mit ins Haus. Laban ließ die Kamele abzäumen und Streu und Futter für sie holen. Dem Gast und seinen Leuten brachte man Wasser, damit sie sich die Füße waschen konnten. Als sie ihm aber etwas zu essen brachten, sagte er: »Ich esse erst, wenn ich meinen Auftrag ausgerichtet habe.«

Laban forderte ihn auf zu reden, und er begann:

»Ich bin Abrahams Besitzverwalter. Der HERR hat meinen Herrn reich gesegnet und zu hohem Ansehen gebracht. Er hat ihm viele Schafe, Ziegen und Rinder gegeben, dazu Silber und Gold, Sklaven und Sklavinnen, Kamele und Esel. Auch hat Sara, die Frau meines Herrn, ihm in ihrem Alter noch einen Sohn geboren, dem er seinen ganzen Besitz vermacht hat. Nun hat mein Herr mich einen Eid schwören lassen und hat mir aufgetragen: ›Du darfst für meinen Sohn Isaak keine Frau aus dem Land Kanaan wählen. Geh zu meinen Verwandten, zur Familie meines Vaters, und hole ihm von dort eine Frau.‹ Als ich einwandte, dass die Frau mir vielleicht nicht in das fremde Land folgen werde, da sagte er: ›Der HERR, nach dessen Willen ich mich immer gerichtet habe, wird seinen Engel mit dir schicken und deine Reise gelingen lassen, sodass du für meinen Sohn eine Frau aus meiner Verwandtschaft, aus der Familie meines Vaters, findest. Wenn meine Verwandten dir aber keine Frau für meinen Sohn geben wollen, bist du nicht mehr an deinen Schwur gebunden.‹ Als ich nun heute an die Quelle kam, betete ich zum HERRN und sagte: ›Gott Abrahams, meines Herrn, wenn du doch meine Reise gelingen lassen wolltest! Ich stehe hier an der Quelle und bitte dich um ein Zeichen: Zu dem ersten heiratsfähigen Mädchen, das herauskommt, will ich sagen: Gib mir doch einen Schluck aus deinem Krug! Wenn sie darauf sagt: Trink nur, und auch deinen Kamelen will ich zu trinken geben – dann weiß ich: Sie ist es, die du, HERR, für den Sohn meines Herrn bestimmt hast.‹ Kaum hatte ich diese Worte in meinem Herzen gesprochen, da kam Rebekka mit dem Krug auf der Schulter, stieg die Stufen zur Quelle hinab und schöpfte Wasser. Ich sagte zu ihr: ›Gib mir doch etwas zu trinken!‹ Da ließ sie sogleich ihren Krug von der Schulter herunter und sagte: ›Trink nur, und auch deinen Kamelen will ich zu trinken geben!‹ Als alle Tiere getrunken hatten, fragte ich sie nach ihrem Vater, und sie sagte mir, dass es Betuël sei, der Sohn Nahors von seiner Frau Milka. Da legte ich ihr den goldenen Ring an die Nase und die Goldreifen um ihre Arme. Und dann warf ich mich nieder und dankte dem HERRN, dem Gott meines Herrn Abraham, dass er mich geradewegs zum Bruder meines Herrn geführt hat und ich jetzt dessen Tochter als Frau für den

Sohn meines Herrn erbitten kann. Sagt mir nun also, ob ihr meinem Herrn gut seid und seinen Wunsch erfüllen wollt! Wenn nicht, dann muss ich anderswo suchen.«

Laban und seine Familie erwiderten: »Das hat der HERR gefügt! Wir können seine Entscheidung nur annehmen. Hier ist Rebekka, nimm sie mit! Sie soll den Sohn deines Herrn heiraten, wie der HERR es bestimmt hat.«

Als Abrahams Verwalter das hörte, warf er sich auf die Erde und dankte dem HERRN. Darauf packte er Silber- und Goldschmuck und festliche Kleider aus und gab sie Rebekka. Auch ihrem Bruder und ihrer Mutter gab er kostbare Geschenke. Dann aßen und tranken die Gäste und legten sich schlafen. Am anderen Morgen sagte Abrahams Verwalter zum Bruder des Mädchens und zu seiner Mutter: »Lasst mich jetzt zu meinem Herrn zurückkehren!«

Die beiden baten ihn: »Lass sie doch noch eine Weile bei uns bleiben, nur zehn Tage; dann kann sie mit dir gehen!«

Er aber sagte: »Haltet mich nicht auf! Gott in seiner Güte hat meine Reise gelingen lassen. Ich möchte jetzt zu meinem Herrn zurückkehren.«

»Wir rufen das Mädchen«, sagten die beiden, »sie soll selbst entscheiden.«

Sie riefen Rebekka und fragten sie: »Willst du mit diesem Mann mitgehen?«

Rebekka sagte: »Ja, das will ich.«

Da verabschiedeten sie Rebekka und ihre Amme und auch den Verwalter Abrahams mit seinen Leuten. Sie segneten Rebekka und sagten: »Schwester, du sollst die Mutter von vielen Tausenden werden! Mögen deine Nachkommen ihre Feinde besiegen und ihre Städte erobern!«

Rebekka und ihre Dienerinnen machten sich reisefertig, setzten sich auf die Kamele und zogen mit dem Besitzverwalter Abrahams. So brach er mit Rebekka in seinem Gefolge auf.

Isaak wohnte zu der Zeit im südlichsten Teil des Landes in der Nähe des Brunnens Lahai-Roi. Eines Abends, als er gerade auf dem Feld war, sah er auf einmal Kamele daherkommen. Auch Rebekka hatte Isaak erblickt. Schnell stieg sie vom Kamel und fragte den Verwalter Abrahams: »Wer ist der Mann, der uns dort entgegenkommt?«

»Es ist mein Herr«, erwiderte er; und Rebekka bedeckte ihr Gesicht mit dem Schleier.

Der Besitzverwalter erzählte Isaak, wie alles gegangen war, und Isaak führte Rebekka in das Zelt seiner Mutter Sara. Er nahm sie zur Frau und gewann sie lieb. So wurde er über den Verlust seiner Mutter getröstet.

Ein Schuh entscheidet
Rut und Boas

Einen ganz anderen Weg zur Ehe gehen Rut und Boas. Rut war von Hause aus Moabiterin, sie stammte also aus einem Nachbarstamm der Israeliten. Sie lebte in Moab zusammen mit ihrem Mann, mit Schwager, Schwägerin, Schwiegervater und Schwiegermutter. Dann geschah das größte Unglück, das einer Frau in jener Zeit um 1100 v. Chr. zustoßen konnte: Ihr Mann starb, ihr Schwager starb und auch der Schwiegervater. Rut, ihre Schwägerin und die Schwiegermutter Noomi blieben verwitwet zurück. Noomi war Israelitin und entschied sich, zu ihrer eigenen Sippe zurückzukehren. Sie riet ihren Schwiegertöchtern, ebenfalls zu ihren Heimatfamilien zurückzugehen. Während die Schwägerin dies Angebot annahm, versprach Rut der Noomi: »Wo du hingehst, da will auch ich hingehen.« Und so kam die Moabiterin Rut nach Israel, wo sie wie eine Tochter Noomis angesehen wurde.

Noomi setzte nun alles daran, Rut wieder einen Mann zu verschaffen. Denn nur als verheiratete Frau war sie beschützt und versorgt. Aber Noomi wollte Rut nicht an irgendwen verheiraten, sondern dachte an eine »standesgemäße« Verbindung mit einem Mann aus ihrer Sippschaft. Die Sippe war rechtlich auch dazu verpflichtet, eine verwitwete Frau zu versorgen – und das bedeutete, dass einer der Verwandten sie heiraten musste. Es gab dazu eine festgelegte Reihenfolge, welcher Mann für welche Frau zunächst als Versorger in Frage kam.

Der Mann, den Noomi für Rut ins Auge fasste, hieß Boas. Und sie fädelte es geschickt ein, dass Boas die Rut als freundliche, fleißige und ehrliche Frau kennen lernte – und sorgte auch dafür, dass er ihre weiblichen Reize entdeckte …

Vor der Hochzeit galt es noch ein juristisches Problem zu lösen: Noomi besaß ein Stück Land, das ein anderer für

55

sie verwaltete. Dieses Land wollte sie vor der Eheschlie
ßung zurückbekommen. Als Frau war sie aber nicht
geschäftsfähig. Also musste ein so genannter Löser her,
also einer, der für Noomi das Land auslöste. Wer dies tun
konnte, war von den Verwandtschaftsgraden her in einer
bestimmten Reihenfolge festgelegt. Boas suchte den in
Frage kommenden Löser auf. Dieser wäre auch bereit gewesen, das Land zu kaufen – aber die weiteren Verpflichtungen wollte er dann doch nicht eingehen: nämlich Rut
zu heiraten und mit ihr einen Sohn zu zeugen, der das
Land später erben würde. So überließ der Löser dem Boas
das Land. Als Zeichen für den Landkauf wurde traditionell
ein Schuh überreicht.

Boas war sehr stolz auf seine junge Frau Rut: »Du hast
mir die Gnade erwiesen, mich zu erwählen – und nicht
einen von den jungen Männern«, bedankt er sich bei ihr.
Einer der Nachkommen von Rut und Boas war der
bekannteste Staatsmann Israels: König David. Weil die
beiden seine Urgroßeltern sind, wurde diese Liebesgeschichte aufgeschrieben und überliefert. (Rut 3–4)

Eines Tages sagte Noomi zu Rut: »Meine Tochter, ich
möchte, dass du wieder einen Mann und eine Heimat
bekommst. Du weißt, dass Boas, mit dessen Leuten du auf
dem Feld warst, mit uns verwandt ist. Er arbeitet heute
Abend mit der Worfschaufel auf der Tenne, um die Spreu
von der Gerste zu trennen. Bade und salbe dich, zieh deine
besten Kleider an und geh zur Tenne. Sieh zu, dass er dich

nicht bemerkt, bevor er mit Essen und Trinken fertig ist. Pass gut auf, wo er sich hinlegt, und wenn er schläft, schlüpfe unter seine Decke und lege dich neben ihn. Er wird dir dann schon sagen, was du tun sollst.«

»Ich werde alles so machen, wie du gesagt hast«, antwortete Rut. Dann ging sie zur Tenne und verfuhr genau nach den Anweisungen ihrer Schwiegermutter.

Als Boas gegessen und getrunken hatte, legte er sich gut gelaunt und zufrieden am Rand des Getreidehaufens schlafen. Leise ging Rut zu ihm hin, schlüpfte unter die Decke und legte sich neben ihn.

Um Mitternacht schrak Boas auf und tastete um sich. An ihn geschmiegt lag – eine Frau.

»Wer bist du?«, fragte er und bekam die Antwort: »Ich bin Rut, deine Sklavin! Breite deinen Gewandsaum über mich und nimm mich zur Frau; du bist doch der Löser!«

Boas erwiderte: »Der HERR segne dich! Was du jetzt getan hast, zeigt noch mehr als alles bisher, wie treu du zur Familie deiner Schwiegermutter hältst. Du hättest ja auch den jungen Männern nachlaufen können und jeden bekommen, ob arm oder reich. Nun, meine Tochter, sei unbesorgt! Ich werde tun, worum du mich gebeten hast. Jeder in der Stadt weiß, dass du eine tüchtige Frau bist. Doch da ist noch ein Punkt: Es stimmt zwar, dass ich ein Löser bin und dir helfen muss; aber es gibt noch einen zweiten, der den Vortritt hat, weil er näher verwandt ist als ich. Bleib die Nacht über hier! Morgen früh werde ich ihn vor die Wahl stellen, ob er der Verpflichtung nachkommen will oder

57

nicht. Wenn nicht, werde ich es tun. Das verspreche ich dir, so gewiss der HERR lebt. Bleib jetzt liegen bis zum Morgen!« Rut blieb neben ihm liegen; aber in aller Frühe, noch bevor ein Mensch den andern erkennen konnte, stand sie auf. Denn Boas sagte: »Es darf nicht bekannt werden, dass eine Frau auf der Tenne war.«

Dann sagte er noch zu ihr: »Nimm dein Umschlagtuch ab und halte es auf!« Er füllte einen halben Zentner Gerste hinein und hob ihr die Last auf die Schulter. Dann ging er in die Stadt.

Als Rut nach Hause kam, fragte ihre Schwiegermutter: »Wie ist es dir ergangen, meine Tochter?«

Rut erzählte alles, was Boas für sie getan und zu ihr gesagt hatte. »Und diese ganze Menge Gerste hat er mir mitgegeben«, fügte sie hinzu. »Er sagte: ›Du darfst nicht mit leeren Händen zu deiner Schwiegermutter kommen.‹«

Noomi antwortete: »Bleib nun hier, meine Tochter, und warte ab, wie die Sache ausgeht. Der Mann wird nicht ruhen, bis er sie noch heute geordnet hat.«

Boas war inzwischen zum Versammlungsplatz am Stadttor gegangen und hatte sich dort hingesetzt. Da ging gerade der andere Löser, von dem Boas gesprochen hatte, vorbei. Boas rief ihm zu: »Komm hierher und setz dich«, und der Mann tat es. Dann holte Boas zehn Männer, die zu den Ältesten der Stadt gehörten, und sagte zu ihnen: »Setzt euch hierher zu uns!«

Als sie sich gesetzt hatten, sagte er zu dem anderen Löser: **58** »Du weißt, dass Noomi aus dem Land Moab zurückgekehrt ist. Sie bietet den Landanteil zum Verkauf an, der unserem Verwandten Elimelech gehört hat. Ich wollte dir das sagen und dir den Vorschlag machen: Erwirb den Landanteil Elimelechs in Gegenwart der hier sitzenden Männer und in Gegenwart der Ältesten meines Volkes! Sag, ob du deiner Verpflichtung nachkommen und von deinem Recht als Löser Gebrauch machen willst oder nicht. Ich will es wissen, denn du bist als Erster an der Reihe und nach dir komme ich.«

Der andere antwortete: »Ich mache das!«

Boas fuhr fort: »Wenn du von Noomi das Feld Elimelechs übernimmst, musst du zugleich die Verpflichtung übernehmen, für die Moabiterin Rut zu sorgen und anstelle ihres verstorbenen Mannes einen Sohn zu zeugen. Dem wird später das Feld zufallen, damit der Name des Verstorbenen auf dessen Erbbesitz weiterlebt.«

»Wenn es so ist, verzichte ich«, sagte der andere. »Ich schädige sonst meinen eigenen Erbbesitz. Ich trete dir mein Recht als Löser ab. Ich kann es nicht wahrnehmen.«

Dann zog er seinen Schuh aus und gab ihn Boas mit den Worten: »Erwirb du das Feld!« Mit diesem Zeichen bestätigte man früher in Israel bei Geschäftsabschlüssen den Wechsel des Besitzrechtes an Grund und Boden.

Boas wandte sich an die Ältesten und die anderen anwesenden Männer und sagte: »Ihr seid heute Zeugen, dass ich von Noomi alles erworben habe, was Elimelech und seinen Söhnen Kiljon und Machlon gehörte. Ich habe damit auch die Moabiterin Rut, die Witwe Machlons, als Frau erworben und die Verpflichtung übernommen, an Machlons Stelle einen Sohn zu zeugen, dem sein Erbbesitz gehören wird. Machlons Name soll in seiner Sippe nicht vergessen werden, und seine Familie soll in dieser Stadt und in Israel bestehen bleiben. Ihr habt meine Erklärung gehört und seid dafür Zeugen.«

Die Ältesten und alle Männer auf dem Platz am Tor sagten: »Wir sind dafür Zeugen! Der HERR mache die Frau, die in dein Haus kommt, kinderreich wie Rahel und Lea, die zusammen das Haus Israel groß gemacht haben. Mögest du in der Sippe Efrat zu Reichtum und Einfluss gelangen und möge dein Name berühmt werden in Betlehem. Durch die Nachkommen, die der HERR dir durch diese Frau geben wird, soll deine Familie so bedeutend werden wie die Familie von Perez, dem Sohn von Tamar und Juda.«

So nahm Boas Rut zur Frau. Der HERR ließ sie schwanger werden und sie gebar einen Sohn.

Da sagten die Frauen zu Noomi: »Der HERR sei gepriesen! Er hat dir heute in diesem Kind einen Löser geschenkt. Möge der Name des Kindes berühmt werden in Israel! Es wird dir neuen Lebensmut geben und wird im Alter für dich sorgen. Denn es ist ja der Sohn deiner Schwiegertochter, die in Liebe zu dir hält. Wahrhaftig, an ihr hast du mehr als an sieben Söhnen!«

Noomi nahm das Kind auf ihren Schoß und wurde seine Pflegemutter. Ihre Nachbarinnen kamen, um ihm einen Namen zu geben, denn sie sagten: »Noomi ist ein Sohn geboren worden!« Und sie gaben ihm den Namen Obed.

Obed wurde der Vater Isais, Isai der Vater des Königs David. Dies ist die Liste der Nachkommen von Perez: Perez zeugte Hezron, Hezron zeugte Ram, Ram zeugte Amminadab, Amminadab zeugte Nachschon, Nachschon zeugte Salmon, Salmon zeugte Boas, Boas zeugte Obed, Obed zeugte Isai und Isai zeugte David.

Hochzeit mit Hindernissen
David und Michal

David war als junger Mann an den Königshof von Saul gekommen, weil er wohltuend Harfe spielen konnte. Damit beruhigte er das aufgewühlte Gemüt des Königs Saul. Saul wusste allerdings nicht, dass David von dem Propheten Samuel schon heimlich zum neuen König, also zu seinem Nachfolger gesalbt worden war.

David erwies sich am Hofe nicht nur als begnadeter Harfenist. Er zeigte auch seinen Kampfesmut. Die Israeliten wurden in jenen Jahren um 1000 v. Chr. immer wieder von den Philistern bedroht, überfallen und beraubt. Die Philister waren den Israeliten weit überlegen, da sie bereits über die Technik verfügten, aus Eisen Speerspitzen und Rüstungen herzustellen. Die Kämpfer Sauls waren dagegen mit weitaus primitiveren Waffen ausgerüstet.

Saul und seine Armee wurden der Philister nicht Herr. Zudem erschreckten die Philister die Israeliten mit gut ausgebildeten und bis an die Zähne bewaffneten Söld- **61** nern. Goliat war einer von ihnen, er war sogar ein riesenhafter Kämpfer. Doch David bewies seinen Mut, seine Geschicklichkeit und sein Gottvertrauen, als er sich Goliat stellte und ihn besiegte.

Das Volk liebte David wegen seiner Tapferkeit. Und schon bald begann Saul zu fürchten, David könne ihn stürzen. Er ersann eine List, um ihn loszuwerden. Saul hatte nämlich erfahren, dass sich seine Tochter Michal in David verliebt hatte. Saul beschloss, die Verliebtheit Michals auszunutzen und sich dadurch David vom Halse zu schaffen. Er bot David an, sein Schwiegersohn zu werden, und legte einen »Brautpreis« fest, der ihn das Leben kosten sollte ...

Was Saul nicht ahnte: Durch seine Klugheit und seinen Mut erbeutete David, was von ihm verlangt wurde. Saul musste sein Versprechen halten und David mit Michal verheiraten. Es gehört zur Ironie der biblischen Geschichte, dass ausgerechnet diese Verbindung David später bei den Nachstellungen Sauls das Leben retten sollte. (1. Samuel 18,20-29; 19,8-17)

Michal, Sauls jüngere Tochter, hatte David lieb gewonnen. Als man Saul davon erzählte, kam es ihm gerade recht. Er sagte sich: »Ich locke ihn durch sie in die Falle, sodass er den Philistern in die Hände fällt.«

Zu David sagte er: »Ich gebe dir heute noch einmal Gelegenheit, mein Schwiegersohn zu werden!«

Er hatte seine Leute angewiesen, ganz beiläufig zu David

zu sagen: »Du weißt, dass der König große Stücke auf dich hält, und auch alle seine Untergebenen haben dich gern. Willst du nicht sein Schwiegersohn werden?«

Die Leute Sauls redeten dementsprechend mit David, doch er antwortete ihnen: »Meint ihr, es sei so leicht, der Schwiegersohn des Königs zu werden? Ich bin ein armer, einfacher Mann!«

Die Männer meldeten es Saul und er wies sie an, zu David zu sagen: »Der König verlangt kein Brautgeld von dir, du musst ihn nur an seinen Feinden rächen und ihm die Vorhäute von hundert Philistern bringen.«

Saul rechnete nämlich damit, dass David im Kampf gegen die Philister umkommen würde.

Als sie das Angebot Sauls überbrachten, war er damit einverstanden, auf diesem Weg der Schwiegersohn des Königs zu werden. Bevor die gesetzte Frist verstrichen war, hatte er die Bedingung erfüllt. Er brach mit seinen Leuten auf, erschlug zweihundert Philister, brachte ihre Vorhäute dem König und legte sie ihm in voller Zahl vor. Da gab Saul ihm seine Tochter Michal zur Frau.

Saul sah, dass der HERR auf der Seite Davids stand und dass seine Tochter Michal ihn liebte. Deshalb fürchtete er sich noch mehr vor David und wurde zu seinem unversöhnlichen Feind.

Von neuem kam es zum Kampf mit den Philistern und David zog gegen sie ins Feld. Er brachte ihnen eine schwere Niederlage bei und schlug sie in die Flucht.

Als David heimgekehrt war, kam wieder der böse Geist über Saul, den der Herr ihm schickte. David spielte vor dem König auf der Harfe, während dieser mit dem Speer in der Hand dasaß. Plötzlich schleuderte Saul den Speer auf David, um ihn zu durchbohren; doch David konnte ausweichen und der Speer fuhr in die Wand.

David flüchtete sich in sein Haus. Da es schon Abend war, schickte Saul bewaffnete Männer aus, die das Haus Davids bewachen und ihn am nächsten Morgen umbringen sollten. Michal warnte David und sagte zu ihm: »Wenn du dich nicht noch heute Nacht in Sicherheit bringst, bist du morgen ein toter Mann.«

Sie ließ David durchs Fenster hinab und er entkam. Nun legte Michal die geschnitzte Figur des Hausgottes ins Bett, deckte sie mit einem Mantel zu und legte ans Kopfende ein Geflecht aus Ziegenhaar. Als Saul seine Leute schickte, um David zu holen, sagte sie zu ihnen: »Er ist krank.«

Saul schickte die Männer noch einmal hin und befahl ihnen, bis zu David vorzudringen. »Bringt ihn samt dem Bett«, sagte er, »damit ich ihn töten kann.«

Als sie ins Haus eindrangen, fanden sie im Bett nur den Hausgott und das Geflecht aus Ziegenhaar.

Saul stellte seine Tochter zur Rede: »Warum hast du mich hintergangen und meinen Feind entkommen lassen?«

Aber Michal erwiderte: »Er hat gedroht, mich zu töten, wenn ich ihn nicht gehen lasse.«

Nicht lange gefackelt
David und Abigajil

Sauls Hass wurde immer größer – und David musste vom Hof fliehen. Michal wurde mit einem anderen Mann verheiratet. David zog mit einigen Männern, die sich ihm angeschlossen hatten, durchs Land. Versorgt wurde er von Bauern und Hirten. Sie unterstützten ihn teils freiwillig, weil sie ihn als tapferen Krieger verehrten und in ihm den künftigen König vermuteten. Andere gaben ihre Lebensmittel möglicherweise nicht ganz freiwillig ab und fühlten sich eher dazu genötigt, wenn ein Freischärler mit seinen Mannen im Hof stand.

Als David den Viehzüchter Nabal bitten ließ, ihm Lebensmittel zur Verfügung zu stellen, wies der dies Ansinnen schroff von sich. Doch seine Frau Abigajil war eine ebenso schöne wie politisch weit blickende Frau. Sie erkannte, dass ihr Ehemann gerade den künftigen König Israels weggeschickt hatte. Sie befürchtete den Zorn und die Rache Davids und seiner Anhänger, die nun mit leerem Magen in die Nacht gehen mussten. Sie handelte schnell – und tat genau das Richtige, um David gnädig zu stimmen. Als Nabal von Abigajils Tun erfuhr, traf ihn buchstäblich der Schlag. David zögerte nicht lange und ließ Abigajil fragen, ob sie seine Frau werden wollte. Sie heiratete ihn und folgte ihm – erst in die Vogelfreiheit, dann in den Palast des Königs von Israel. (1. Samuel 25,2-42)

In der Ortschaft Maon lebte ein sehr reicher Mann, der im Nachbardorf Karmel Viehzucht betrieb. Er hatte in Karmel 3000 Schafe und 1000 Ziegen und befand sich gerade dort, weil Schafschur war. Dieser Mann hieß Nabal und war ein Nachkomme Kalebs. Seine Frau hieß Abigajil, sie war schön und klug, er selbst aber grob und gemein.

Als David in der Wüste hörte, dass Nabal zur Schafschur nach Karmel gekommen war, schickte er zehn junge Männer los mit dem Auftrag: »Geht hinauf nach Karmel, bestellt Nabal einen Gruß von mir und richtet ihm Folgendes aus: ›Ich wünsche dir alles Gute! Glück und Heil für dich und deine Familie und für alles, was dir gehört! Ich habe gehört, dass du deine Schafe scheren lässt. Darf ich dich daran erinnern, dass deine Hirten die Schafe ganz in unserer Nähe weiden ließen? Wir haben ihnen nichts zuleide getan, und während der ganzen Zeit ist ihnen in Karmel kein einziges Schaf abhanden gekommen. Frage sie nur, sie werden es dir bestätigen. Nimm also meine Boten freundlich auf! Heute ist doch ein Festtag für dich. Hab die Güte und gib ihnen mit, was du für deinen ergebenen Diener David erübrigen kannst.‹«

Nachdem sie Nabal das alles im Namen Davids ausgerichtet hatten, blieben die Boten abwartend stehen.

Nabal aber entgegnete ihnen: »David? Wer ist das? Sohn von Isai? Nie von ihm gehört! Heutzutage gibt es genug Knechte, die ihren Herren davongelaufen sind und ein Räuberleben führen. Mein Brot und mein Trinkwasser und die geschlachteten Tiere hier sind für meine Schafscherer.

Soll ich es etwa Leuten geben, von denen ich nicht einmal weiß, woher sie kommen?«

Die Männer kehrten zu David zurück und berichteten ihm alles.

»Schnallt die Schwerter um!«, befahl David. Auch er nahm sein Schwert. Mit 400 Mann zog er los; die restlichen 200 ließ er als Wache am Lagerplatz zurück.

Einer von Nabals Knechten war zu Abigajil gelaufen. »Soeben waren Boten von David da«, berichtete er. »Er ließ unseren Herrn freundlich grüßen, aber der hat sie nur beschimpft. Dabei waren die Männer Davids immer sehr gut zu uns und haben uns nie etwas getan. In der ganzen Zeit, die wir draußen in ihrer Nähe umherzogen, ist uns kein einziges Schaf gestohlen worden. Sie waren wie eine schützende Mauer bei Tag und bei Nacht, solange die Herden in ihrer Nähe weideten. Sieh zu, ob du noch etwas retten kannst; sonst ist unser Herr verloren und wir alle mit. Er selbst ist ja so boshaft und eigensinnig, dass er nicht mit sich reden lässt.«

Schnell ließ Abigajil einige Esel beladen. Sie nahm 200 Fladenbrote, zwei Krüge voll Wein, fünf geschlachtete Schafe, einen Sack geröstete Körner, 100 Portionen gepresste Rosinen und 200 Portionen Feigenmark. Sie befahl ihren Knechten: »Geht ihr mit den Eseln voraus, ich komme gleich nach!«

Ihrem Mann sagte sie nichts davon.

Als Abigajil auf ihrem Esel den Berg hinunterritt, kamen ihr plötzlich an einer Biegung des Weges David und seine **67**

Leute entgegen. David schimpfte gerade: »Für nichts und wieder nichts habe ich in der Steppe alles beschützt, was diesem Schuft gehört! Nicht ein einziges Stück Vieh ist ihm weggekommen, nur Gutes habe ich ihm getan – und das ist jetzt der Dank dafür! Gott soll mich strafen, wenn er von allen seinen Leuten morgen früh noch *einen* hat, der an die Wand pinkelt!«

Als Abigajil sah, dass es David war, stieg sie rasch von ihrem Esel, warf sich vor David nieder, das Gesicht zur Erde, und blieb vor seinen Füßen liegen. »Es ist alles meine Schuld, Herr!«, sagte sie. »Bitte hör mich an, lass es dir erklären! Nabal, diesen nichtsnutzigen Menschen, darfst du nicht ernst nehmen. Er ist genau das, was sein Name sagt: ein bösartiger Dummkopf. Unglücklicherweise war ich nicht da, als deine Boten kamen. So gewiss der HERR lebt und du selbst lebst: Es ist gut, dass ich dir noch rechtzeitig begegnet bin! Der HERR hat dich so daran gehindert, dich zu rächen und dabei schwere Schuld auf dich zu laden. Nabal wird seiner Strafe nicht entgehen. Allen deinen Feinden, die dir schaden wollen, soll es so ergehen wie ihm! Bitte, Herr, nimm dieses Geschenk an, das ich dir mitgebracht habe, und verteile es unter deine Gefolgsleute. Ich bin dir treu ergeben; verzeih mir, dass ich so vermessen war, dir in den Weg zu treten. Ich weiß, der HERR wird dich zum König machen und dein Königshaus wird für immer bestehen. Du bist ja der Mann, durch den der HERR seine Kriege führt; und dein Leben lang wird dir niemand ein Unrecht vorwerfen können. Wenn dich jemand verfolgt und dich umbringen möchte, wird er dir nichts anhaben können, weil der HERR dein Leben bewahren wird, wie man einen kostbaren Stein im Beutel verwahrt; aber das Leben deiner Feinde wird der HERR wegwerfen, wie man einen Stein mit der Schleuder fortschleudert. Wenn dann der HERR alle seine Zusagen eingelöst und dir die Herrschaft über Israel gegeben hat, wirst du froh sein, dass dein Gewissen rein ist und du dir nicht selbst zu deinem Recht verholfen und ohne Grund Blut vergossen hast. Und denk dann auch an mich, deine Dienerin, wenn der HERR dich so weit gebracht hat.«

»Gepriesen sei der HERR, der Gott Israels«, rief David, »dass er dich in diesem Augenblick mir entgegengeschickt hat. Und gepriesen sei deine Klugheit! Gesegnet sollst du sein, weil du mich davor bewahrt hast, eigenmächtig Rache zu nehmen und Blutschuld auf mich zu laden. Ich schwöre dir beim HERRN, dem Gott Israels, der mich davor bewahrt hat, dir etwas zuleide zu tun: Wenn du mir nicht so schnell entgegengekommen wärst, hätte Nabal morgen früh, wenn es hell wird, von seinen Männern keinen mehr am Leben gefunden – keinen von allen, die an die Wand pinkeln!«

David nahm die Gaben an, die Abigajil ihm gebracht hatte, und sagte zu ihr: »Geh unbesorgt nach Hause. Was du von mir erbeten hast, ist dir gewährt.«

Als Abigajil nach Hause kam, saß Nabal mit seinen Leuten beim Festmahl; er feierte wie ein König. Er war in Hoch-   **69** stimmung und völlig betrunken, deshalb sagte sie ihm nichts. Erst am anderen Morgen, als er wieder nüchtern war, erzählte sie ihm, was vorgefallen war. Als er das hörte, traf ihn der Schlag und er konnte sich nicht mehr rühren. Zehn Tage später ließ der HERR ihn sterben.

Als David davon hörte, sagte er: »Gepriesen sei der HERR! Er hat mir Recht verschafft und Nabal für seine Unverschämtheit bestraft. Er hat mich, seinen Diener, davor bewahrt, unbedacht Schuld auf mich zu laden. Er hat Nabals böse Tat auf ihn selbst zurückfallen lassen.«

Dann schickte David zu Abigajil und bat sie, seine Frau zu werden. Seine Boten kamen zu ihr nach Karmel und sagten: »David schickt uns, er will dich zur Frau nehmen!«

Da stand sie auf, warf sich nieder mit dem Gesicht zur Erde und sagte: »Ich bin seine Sklavin und bereit, den Dienern meines Herrn die Füße zu waschen.«

Schnell machte sie sich reisefertig und setzte sich auf ihren Esel; ihre fünf Mägde begleiteten sie. Sie folgte den Boten Davids und wurde seine Frau.

Gegen einen bösen Geist
Sara und Tobias

Aus dem großen Märchenschatz der Brüder Grimm scheint die Geschichte zu stammen, wie sich Sara und Tobias finden. Und tatsächlich schreibt der Verfasser des Buches Tobit im Stil eines Märchenerzählers. Auf diese

Weise möchte er alle, die es lesen, dazu verlocken, Gott ihrerseits so zu vertrauen, wie es Sara und Tobias und auch ihre Eltern taten.

Tobit, der Vater von Tobias, war ein ehrlicher und frommer Mann, aber mancherlei politischen Entwicklungen und persönlichen Intrigen ausgesetzt. Als er dann auch noch sein Augenlicht verlor, geriet er in Armut. Aber er hatte an einem entlegenen Ort Geld deponiert. Sein Sohn Tobias brach auf, um es zu holen. Dabei gesellte sich inkognito ein besonderer Begleiter zu ihm: der Erzengel Rafael (Asarja).

Unterwegs kamen Tobias und Rafael zu Raguël. Dessen Tochter Sara hatte schon sieben Ehemänner beerdigen müssen. Sie waren alle in der Hochzeitsnacht gestorben, noch bevor sie mit Sara schlafen konnten. Es hieß, ein böser Geist habe von ihr Besitz ergriffen, der alle ihre Ehemänner umbringe.

Wie Tobias Sara kennen lernte, wie sie sich ineinander verliebten, wie Saras Vater schon das Grab für Tobias schaufelte und ob es tatsächlich benötigt wurde – das liest sich wirklich märchenhaft. Übrigens: Für Tobit ging die Reise des Tobias gut aus, er bekam sein Geld und sein Augenlicht wieder! (Tobit 6–9)

Tobias machte sich auf den Weg und der Engel begleitete ihn. Der Hund des Hauses schloss sich ihnen an. Am ersten Abend schlugen sie am Ufer des Tigris ihr Nachtlager auf. Tobias ging noch zum Fluss hinunter und badete seine Füße; da schnellte plötzlich ein großer Fisch aus dem Wasser und wollte ihm einen Fuß abreißen. Tobias schrie, aber der Engel rief: »Greif zu und fang ihn!« Tobias packte den Fisch und warf ihn aufs Land.

»Schneide ihn auf«, sagte der Engel, »nimm Galle, Herz und Leber heraus und bewahre sie auf! Sie sind als Heilmittel zu gebrauchen. Die anderen Eingeweide wirf weg!«

Tobias tat es. Dann kochte er ein Stück Fisch und aß es; den Rest salzte er ein und bewahrte ihn als Reiseproviant auf.

Am anderen Morgen setzten sie ihre Reise fort. Als sie an die medische Grenze kamen, fragte Tobias den Engel: »Mein Bruder Asarja, wozu sind eigentlich Herz, Leber und Galle des Fisches gut?«

Der Engel antwortete: »Wenn ein Mann oder eine Frau von einem bösen Geist angefallen wird und man lässt das Herz und die Leber in Rauch aufgehen, dann wird der böse Geist die Flucht ergreifen und den Betreffenden nie wieder belästigen. Und wenn jemand weiße Flecken auf der Hornhaut hat und nicht mehr sehen kann, bringt man die Galle auf die Augen und er wird geheilt.«

Als sie in Medien waren und sich schon der Stadt Ekbatana näherten, sagte Rafaël: »Tobias, Bruder!«

»Ja?«, antwortete Tobias.

Da sagte der Engel: »Heute werden wir bei deinem Verwandten Raguël übernachten. Er hat eine Tochter namens Sara. Sie ist sein einziges Kind und du bist unter seinen Verwandten der nächste, der das Recht hat, sie zu heiraten und den Besitz ihres Vaters zu erben. Sie ist klug und tüchtig und sehr schön, und ihr Vater ist ein angesehener Mann. Dir steht das Mädchen rechtmäßig zu. Deshalb hör, was ich dir vorschlage, Bruder: Ich spreche heute Abend mit ihrem Vater und bitte für dich um ihre Hand. Wenn wir dann von Rages zurückkommen, wird die Hochzeit gefeiert. Ich bin sicher, Raguël kann sie dir nicht verweigern oder einem anderen geben. Nach der Vorschrift im Gesetz Moses steht darauf die Todesstrafe. Er weiß genau, dass du vor allen anderen ein Recht auf sie hast. Hör also auf mich, Bruder! Wir wollen heute Abend mit dem Vater über das Mädchen reden und ihn dazu bringen, dass er sie dir zur Frau gibt; und wenn wir von Rages zurückkommen, nehmen wir sie mit und bringen sie zu dir nach Hause.«

Tobias erwiderte: »Aber Asarja, ich habe gehört, dass sie schon siebenmal verheiratet werden sollte und dass alle sieben Männer in der Hochzeitsnacht den Tod fanden, als sie die Ehe mit ihr vollziehen wollten. Es heißt, ein böser Geist habe sie getötet. Ihr selbst tut er nichts zuleide, aber er bringt jeden um, der sich ihr nähern will. Ich fürchte, dass es mir ebenso ergeht, und dann bin ich daran schuld, wenn meine Eltern vor Kummer sterben. Denn ich bin ihr einziger Sohn und sie haben dann niemand mehr, der sie begraben kann.«

Aber Rafaël antwortete: »Denkst du nicht mehr an die Weisungen deines Vaters? Er hat dir beim Abschied ans Herz gelegt, unbedingt eine Frau aus seiner eigenen Familie zu heiraten. Hör auf mich, Bruder! Hab keine Angst vor diesem Geist und nimm sie! Ich bin sicher, noch heute Abend wird man sie dir zur Frau geben. Aber wenn du mit ihr ins Brautgemach gehst, dann nimm ein Stück von der Fischleber und das Fischherz und lege beides auf die Glut im Räuchergefäß. Wenn der Geruch dem Geist in die Nase steigt, ergreift er die Flucht und kehrt nie mehr zu ihr zurück. Bevor du dich dann mit Sara verbindest, müsst ihr beide zuerst beten. Bittet den Herrn, der im Himmel regiert, dass er Erbarmen mit euch hat und euch beschützt. Du brauchst keine Angst zu haben; Gott hat Sara für dich bestimmt, schon bevor er die Welt geschaffen hat. Du wirst sie von dem bösen Geist befreien und sie wird mit dir nach Hause ziehen. Ich bin sicher, du wirst mit ihr Kinder haben, die dir deine fehlenden Brüder ersetzen. Sei also unbesorgt!«

Als Tobias das alles hörte und als er sich klarmachte, dass Sara mit ihm verwandt war und aus der Familie seines Vaters stammte, schloss er sie ins Herz und gewann sie sehr lieb.

Als sie nach Ekbatana kamen, sagte Tobias: »Mein Bruder Asarja, führe mich auf dem schnellsten Weg zu unserem Landsmann Raguël!« Der Begleiter brachte Tobias dorthin. Sie fanden Raguël am Hoftor sitzen und grüßten ihn. Raguël erwiderte: »Liebe Landsleute, seid gegrüßt! Viel Glück und willkommen in meinem Haus!«

Er führte sie ins Haus und sagte zu seiner Frau Edna: »Wie der junge Mann meinem Vetter Tobit gleicht!«

»Woher seid ihr denn?«, fragte Edna und die beiden antworteten: »Wir gehören zu den verschleppten Israeliten aus dem Stamm Naftali, die jetzt in Ninive sind.«

»Kennt ihr dann unseren Vetter Tobit?«

»Gewiss«, sagten sie.

»Geht es ihm gut?«

»Ja, er lebt noch, es geht ihm gut«, antworteten sie und Tobias fügte hinzu: »Er ist mein Vater.«

Da sprang Raguël auf, küsste ihn unter Tränen und sagte zu ihm: »Gott segne dich, du Sohn eines guten und edlen Vaters!«

Und als Tobias weitererzählte, rief er: »Was für eine traurige Nachricht ist das! Ein so frommer Mann, der so viel Gutes getan hat – und nun blind!«

Er fiel Tobias um den Hals und weinte. Auch seine Frau Edna und seine Tochter Sara weinten über Tobits Unglück. Raguël schlachtete einen Schafbock aus seiner Herde und bereitete den beiden einen herzlichen Empfang.

Als sie ein Bad genommen und die Hände gewaschen hatten, legten sie sich zu Tisch und Tobias sagte zu Rafaël: »Mein Bruder Asarja, bitte doch jetzt Raguël, dass er mir seine Tochter Sara, meine Verwandte, zur Frau gibt!«

Raguël hörte es und sagte zu dem jungen Mann: »Iss und trink und sei guter Dinge heute Abend! Keinem außer dir, mein Bruder, steht meine Tochter Sara zu; ich habe nicht das Recht, sie einem anderen Mann zu geben, denn du bist der nächste Verwandte. Aber ich muss dir die Wahrheit sagen, Junge: Ich habe sie schon sieben Männern aus unserer Sippe zur Frau gegeben und alle sind in der Hochzeitsnacht gestorben. Iss und trink jetzt, mein Sohn, und dann möge der Herr euch beistehen!«

Tobias aber sagte: »Ich werde weder essen noch trinken, bevor du sie mir förmlich zur Ehe versprochen hast.«

»Gut«, sagte Raguël, »sie sei dein nach dem Gesetz, das im Buch Moses aufgeschrieben ist. Der Himmel hat es so bestimmt; nimm sie als deine Frau! Von jetzt an bist du ihr Bruder und sie ist deine Schwester; sie ist dein von heute bis in Ewigkeit. Der Herr aber, der im Himmel regiert, stehe euch bei in dieser Nacht, mein Junge; er erweise euch sein Erbarmen und bewahre euch unversehrt.«

Raguël rief seine Tochter Sara, und als sie kam, nahm er sie bei der Hand und übergab sie Tobias mit den Worten: »Nimm sie in Empfang! Ich gebe sie dir zur Frau nach den Weisungen, die im Buch Moses aufgeschrieben sind. Führe sie wohlbehalten zu deinem Vater. Gott im Himmel stehe euch bei und bewahre euch.«

Dann rief er ihre Mutter, ließ sich Schreibzeug bringen und setzte den Ehevertrag auf. In ihm wurde rechtsgültig niedergelegt, dass er dem jungen Tobias seine Tochter Sara in Übereinstimmung mit dem Gesetz Moses zur Frau gegeben habe. Darauf begannen sie zu essen und zu trinken.

Dann rief Raguël seine Frau Edna noch einmal und sagte zu ihr: »Liebe Frau, mach das andere Schlafzimmer zurecht und führe Sara hinein!«

Sie tat alles wie befohlen, bereitete das Zimmer vor und führte Sara hinein. Sie musste bei ihrem Anblick weinen, aber dann wischte sie sich die Tränen ab und sagte zu ihr: »Nur Mut, Tochter! Der Herr, der im Himmel regiert, mache deinem Kummer ein Ende und gebe dir Freude. Nur Mut, Tochter!«

Dann ging sie hinaus.

Als sie gegessen und getrunken hatten und es Schlafenszeit war, führten sie den jungen Mann in das vorbereitete Zimmer. Tobias dachte an die Weisung Rafaëls, nahm Leber und Herz des Fisches aus seiner Reisetasche und legte sie auf die glühenden Kohlen. Wegen des aufsteigenden Geruchs konnte der böse Geist nicht herankommen und floh nach Oberägypten. Rafaël folgte ihm dorthin und fesselte ihn sofort.

Die anderen gingen hinaus und schlossen die Tür des Zimmers ab. Nun stand Tobias vom Lager auf und sagte zu Sara: »Steh auf, meine Schwester, wir wollen zum Herrn, unserem Gott, beten, dass er Erbarmen mit uns hat und uns rettet.«

Auch Sara stand auf und die beiden beteten zu Gott, dass er sie vor dem bösen Geist rette.

Tobias sagte: »Herr, du Gott unserer Vorfahren, wir preisen dich! In alle Ewigkeit soll dein Name gelobt werden! Alle deine Geschöpfe im Himmel und auf der Erde sollen dich ewig rühmen! Du hast das erste Menschenpaar geschaffen, von dem die ganze Menschheit abstammt. Du hast Adam als Gefährtin und Beistand seine Frau Eva gegeben und gesagt: ›Es ist nicht gut, dass der Mensch allein ist. Ich will ein Wesen schaffen, das zu ihm passt.‹ Du weißt, dass ich mit dieser Frau nicht nur flüchtige Lust suche, sondern mich in lebenslanger Treue mit ihr verbinden will. Deshalb hab Erbarmen mit uns beiden und lass uns bis ins Alter beisammenbleiben.«

Gemeinsam sagten sie: »Amen! So geschehe es!«

Dann verbrachten sie die Nacht miteinander.

Mitten in der Nacht stand Raguël auf und rief seine Knechte zusammen, um draußen ein Grab auszuheben; denn er sagte: »Wenn er umgekommen ist und es spricht sich herum, dann kommen wir noch mehr ins Gerede.«

Als das Grab fertig war, ging er ins Haus und sagte zu seiner Frau: »Lass eine von den Dienerinnen nachsehen, ob er noch lebt. Wenn er umgekommen ist, wollen wir ihn heimlich begraben, damit niemand etwas erfährt.«

Sie riefen eine Dienerin, gaben ihr ein Licht, schlossen die Tür auf und schickten sie hinein. Die beiden lagen in tiefem Schlaf beieinander.

Die Dienerin kam zurück und berichtete: »Er lebt! Es ist ihm nichts zugestoßen!«

Da priesen sie Gott, der im Himmel regiert: »Gepriesen seist du, Gott, von allen, die es mit reinem Herzen tun! Sie sollen dich rühmen in Ewigkeit!«

Und Raguël sagte: »Gepriesen seist du, denn du hast mir große Freude geschenkt. Ich hatte schon das Schlimmste befürchtet, aber du hast nach deinem reichen Erbarmen an uns gehandelt. Gepriesen seist du, dass du mit diesen beiden Kindern, den einzigen ihrer Eltern, Erbarmen gehabt hast. Erhalte ihnen dein Erbarmen, Herr, und beschütze sie auch in Zukunft, damit sie ihr Leben durch dein Erbarmen in Glück und Freude verbringen!«

Dann befahl Raguël seinen Männern, das Grab zuzuschütten, bevor es hell wurde. Raguël wies seine Frau an, reichlich Brot zu backen. Dann ging er zu seinem Vieh, holte zwei Rinder und vier Schafböcke und ließ sie von seinen Leuten schlachten und zubereiten.

Während die Vorbereitungen zum Festmahl getroffen wurden, rief er Tobias und sagte:»Ich schwöre, dass diese Hochzeit zwei Wochen lang gefeiert wird! Ich lasse dich nicht eher weg. Iss und trink mit mir und erfreue meine Tochter, die so viel gelitten hat. Ich gebe dir mein halbes Vermögen mit, wenn du zu deinem Vater zurückkehrst – wohlbehalten, das ist mein Wunsch! Die andere Hälfte bekommt ihr beide, wenn ich und meine Frau einmal gestorben sind. Sei unbesorgt, mein Sohn: Ich bin dein Vater und Edna ist deine Mutter, wir stehen zu dir und deiner Frau von nun an bis in Ewigkeit. Mach dir nur keine Sorgen, mein Sohn!«

Darauf rief Tobias seinen Begleiter Rafaël und sagte zu ihm: »Mein Bruder Asarja, nimm vier Knechte und zwei Kamele und zieh nach Rages zu Gabaël. Gib ihm als Erkennungszeichen die eine Hälfte der zerteilten Urkunde, nimm das Silber in Empfang und bringe ihn zur Hochzeitsfeier mit. Du weißt doch, wie mein Vater auf mich wartet und die Tage bis zu meiner Rückkehr zählt. Wenn ich mich auch nur um einen Tag verspäte, bereite ich ihm schweren Kummer. Du weißt auch, Raguël hat geschworen, dass er mich nicht weglässt, und ich bin durch seinen Eid gebunden und kann nicht selbst hingehen.«

Rafaël zog mit den Knechten und den beiden Kamelen nach Rages und sie kehrten bei Gabaël ein. Rafaël gab ihm das Dokument mit Gabaëls eigener Unterschrift und berichtete ihm, dass Tobits Sohn Tobias unterwegs geheiratet habe und ihn zur Hochzeitsfeier einlade. Gabaël stand auf, brachte die versiegelten Beutel, zählte sie Rafaël vor und gab sie ihm. Am nächsten Morgen machten sie sich gemeinsam auf den Weg zur Hochzeit.

Als sie in Raguëls Haus traten, lag Tobias gerade zu Tisch. Er sprang auf und begrüßte Gabaël. Dieser weinte und erwiderte den Gruß. »Du guter und tüchtiger Mann«, sagte er, »Sohn eines guten und tüchtigen Mannes, eines frommen dazu, der so viel Gutes getan hat! Der Herr gebe dir reichen Segen vom Himmel her und er segne auch deine Frau und deinen Vater und die Mutter deiner Frau. Gepriesen sei Gott, dass er mich das leibhaftige Ebenbild meines Vetters Tobit sehen lässt!«

Dreiecksgeschichten

Liebesgeschichten können schön, zärtlich, romantisch sein – aber leider auch verworren, verzwickt und belastet. Besonders dann, wenn eine dritte Person ins Spiel kommt, ist es zum Unglück nicht weit. Die »Dreiecksgeschichten« in der Bibel erzählen von Eifersucht und Traurigkeit, von Neid und Lüge – und von Mord.

Die Leihmutter
Abraham, Sara und Hagar

Steinalt waren sie schon, Sara(i) und Abra(ha)m, als sie auf Gottes Geheiß ihre Heimat verließen und in ein Land aufbrachen, das er ihnen zeigen wollte. Kinderlos waren sie obendrein. Gottes Versprechen, er wolle ihnen so viele Nachkommen geben, wie Sterne am Himmel stehen, konnten sie nur schwer glauben. Sara musste darüber sogar lauthals lachen.
Viele Jahre hatten sie auf den Sohn gewartet, der ihr Erbe übernehmen und die Sippe weiterführen würde. Dann waren Sara und Abraham des Wartens müde. Sie beschlossen, die Sache selbst in die Hand zu nehmen, und suchten sich eine »Leihmutter«, die an Saras Stelle ein

Kind von Abraham empfangen und gebären sollte. Diese Praxis war damals nicht unüblich und verhalf etlichen kinderlosen Sippenoberhäuptern zu Nachwuchs.

Die Leihmutter war auch schnell gefunden: Saras Magd Hagar war quasi ihr Eigentum und damit prädestiniert für das Vorhaben. Hagar selbst wurde wahrscheinlich nicht nach ihrer Meinung gefragt.

Das Kind Ismael wurde geboren. Doch seine Geburt löste nicht etwa die Probleme von Sara und Abraham, sie steigerte sie nur weiter. Denn zwischen den beiden Frauen, der leiblichen und der Adoptivmutter, entstanden immer größere Spannungen. Streit und Ärger waren an der Tagesordnung. Hagar verhöhnte Sara, weil diese nicht selbst einen Sohn geboren hatte. Und Sara rächte sich an ihrer Magd, indem sie ihr immer härtere Arbeit aufbürdete.

Hagar wusste nicht mehr weiter und floh. In ihrer Verzweiflung lief sie in die Wüste hinein, was normalerweise den Tod bedeutete. Doch sie wurde auf wundersame Weise gerettet.

Sara und Abraham bekamen später dann doch noch einen eigenen Sohn: Isaak, auf den sich die Israeliten zurückführen. Ismael dagegen gilt im Koran als Stammvater der Muslime. Man könnte sagen: Der Konflikt der beiden Mütter Sara und Hagar besteht weiter in der Trennung der Religionen und in den politischen Wirren des Nahen Ostens. Die uralte Dreiecksgeschichte von Abraham, Sara und Hagar, historisch in die Zeit vor 1500 v. Chr. einzuordnen, hat eine traurige Langzeitwirkung! Zugleich aber könnte der Blick auf den gemeinsamen Stammvater Abraham und seine beiden Frauen ein Ansatz auf dem Weg des Dialogs und der Verständigung sein. (1. Mose / Genesis 16,1-15)

Abrams Frau Sarai blieb kinderlos. Sie hatte aber eine ägyptische Sklavin namens Hagar. So sagte sie zu ihrem Mann: »Du siehst, der HERR hat mir keine Kinder geschenkt. Aber vielleicht kann ich durch meine Sklavin zu einem Sohn kommen. Ich überlasse sie dir.«

Abram war einverstanden, und Sarai gab ihm die ägyptische Sklavin zur Frau. Er lebte damals schon zehn Jahre im Land Kanaan.

Abram schlief mit Hagar und sie wurde schwanger. Als sie merkte, dass sie ein Kind bekommen würde, begann sie auf ihre Herrin herabzusehen. Da sagte Sarai zu ihrem Mann: »Mir geschieht Unrecht, und du trägst dafür die Verantwortung! Ich habe dir meine Sklavin überlassen. Seit sie weiß, dass sie ein Kind bekommt, verachtet sie mich. Ich rufe den HERRN als Richter an!«

Abram erwiderte: »Sie ist deine Sklavin. Mach mit ihr, was du für richtig hältst!«

Sarai ließ daraufhin Hagar die niedrigsten Arbeiten verrichten; da lief sie davon.

In der Wüste rastete Hagar bei dem Brunnen, der am Weg nach Schur liegt. Da kam der Engel des HERRN zu ihr und fragte sie: »Hagar, Sklavin Sarais! Woher kommst du? Wohin gehst du?«

83

»Ich bin meiner Herrin davongelaufen«, antwortete sie. Da sagte der Engel: »Geh zu deiner Herrin zurück und ordne dich ihr unter! Der HERR wird dir so viele Nachkommen geben, dass sie nicht zu zählen sind. Du wirst einen Sohn gebären und ihn Ismaël (Gott hat gehört) nennen; denn der HERR hat deinen Hilferuf gehört. Ein Mensch wie ein Wildesel wird er sein, im Streit mit allen und von allen bekämpft; seinen Brüdern setzt er sich vors Gesicht.«

Hagar rief: »Habe ich wirklich den gesehen, der mich anschaut?« Und sie gab dem HERRN, der mit ihr gesprochen hatte, den Namen »Du bist der Gott, der mich anschaut«. Darum nennt man jenen Brunnen Beer-Lahai-Roi (Brunnen des Lebendigen, der mich anschaut). Er liegt zwischen Kadesch und Bered.

Hagar gebar Abram einen Sohn, und Abram nannte ihn Ismaël.

Betrug in der Hochzeitsnacht
Jakob, Lea und Rahel

Unfreiwilligerweise lebte Jakob, der Enkel Abrahams und Saras, der Sohn Isaaks und Rebekkas, in einer spannungsvollen Dreierbeziehung mit zwei Ehefrauen. Und das kam so:

Jakob hatte seinen Bruder Esau um das Erbe betrogen und vor ihm fliehen müssen. Zuflucht fand er bei seinem Onkel Laban, weit weg von Esau. Labans Tochter Rahel gefiel dem Jakob sehr und er wollte sie gerne heiraten. Da er aber mittellos war und keinen Brautpreis bezahlen konnte, nahm Laban ihn als Hirte in seinen Dienst. Sieben lange Jahre musste Jakob für Rahel arbeiten. Doch bei der Hochzeit, genauer gesagt in der Hochzeitsnacht, wurde Jakob böse hintergangen. Am Morgen stellte er fest, dass er die hässliche Lea, Rahels ältere Schwester, zur Frau hatte. Laban reagierte kühl und kalkuliert auf Jakobs Protest: Jakob könne auch Rahel haben, müsse für sie aber weitere sieben Jahre arbeiten.

So kam Jakob zu seinen zwei Ehefrauen. Lea gebar ihm sechs Söhne und mit seinen Nebenfrauen Bilha und Silpa hatte er vier Söhne. Rahel aber litt lange unter Kinderlosigkeit und wurde erst sehr spät Mutter. Josef, ihr Ältester, wurde der Lieblingssohn seines Vaters. Bei der Geburt ihres zweiten Sohnes, Benjamin, starb sie.

Wie sehr Jakob Rahel geliebt hatte, zeigte er der Nachwelt, indem er an ihrem Grab einen Gedenkstein anbringen ließ. Rahels Grab bei Betlehem wird bis heute von zahlreichen gläubigen Juden besucht und verehrt. (1. Mose / Genesis 29,14b-30)

Jakob war nun schon einen Monat lang im Haus seines Onkels. Eines Tages sagte Laban zu ihm: »Du sollst nicht umsonst für mich arbeiten, nur weil du mein Verwandter bist. Was willst du als Lohn haben?«

Nun hatte Laban zwei Töchter, die ältere hieß Lea, die jüngere Rahel. Lea hatte glanzlose Augen, Rahel aber war ausnehmend schön. Jakob liebte Rahel und so sagte er: »Gib mir Rahel, deine jüngere Tochter, zur Frau! Ich will dafür sieben Jahre bei dir arbeiten.«

Laban sagte: »Ich gebe sie lieber dir als einem Fremden. Bleib also die Zeit bei mir!«

Jakob arbeitete bei Laban sieben Jahre für Rahel, und weil er sie so sehr liebte, kamen ihm die Jahre wie Tage vor. Danach sagte er zu Laban: »Die Zeit ist um. Gib mir jetzt die Frau, um die ich gearbeitet habe! Ich will mit ihr Hochzeit halten.«

Laban lud alle Leute im Ort zur Hochzeitsfeier ein. Aber am Abend führte er nicht Rahel, sondern Lea ins Brautgemach und Jakob schlief mit ihr. Als Dienerin gab Laban ihr seine Sklavin Silpa.

Am Morgen sah Jakob, dass es gar nicht Rahel, sondern Lea war. Da stellte er Laban zur Rede: »Warum hast du mir das angetan? Ich habe doch um Rahel gearbeitet! Warum hast du mich betrogen?«

»Es ist bei uns nicht Sitte«, erwiderte Laban, »die Jüngere vor der Älteren wegzugeben. Verbringe jetzt mit Lea die Hochzeitswoche, dann geben wir dir Rahel noch dazu. Du wirst dann um sie noch einmal sieben Jahre arbeiten.«

Jakob ging darauf ein. Nachdem die Woche vorüber war, gab Laban ihm auch Rahel zur Frau. Als Dienerin gab er Rahel seine Sklavin Bilha. Jakob schlief auch mit Rahel, und er hatte sie lieber als Lea. Er blieb noch einmal sieben Jahre lang bei Laban und arbeitete für ihn.

Unter dem Druck der Verhältnisse
Hanna, Peninna und Elkana

Auch Elkana hatte zwei Frauen, Hanna und Peninna. Das war nichts Ungewöhnliches zu seiner Zeit um 1030 v. Chr. Ungewöhnlich war aber, dass er Hanna nicht längst »in die Wüste geschickt« hatte. Denn während Peninna viele Kinder zur Welt brachte, bekam Hanna nicht eines. In den Augen ihrer Umgebung hatte sie damit ihr Lebensziel verfehlt, denn es war die höchste und wichtigste Aufgabe einer Frau, möglichst viele Kinder zur Welt zu bringen. So sicherte sie trotz hoher Kindersterblichkeit die Existenz der Familie. Eine unfruchtbare Frau war eine bloße Versagerin und eine Last.

Elkana aber liebte Hanna, obwohl sie keine Kinder bekam. Dies wiederum machte Peninna wütend und traurig zugleich. Zwar schenkte sie ihrem Mann ein Kind nach dem anderen – doch die Liebe empfing eine andere. Letztlich litten alle drei unter der Situation: Hanna, die kinderlos war, Peninna, weil sie nicht geliebt wurde, und Elkana unter zwei unglücklichen Frauen. Die Lösung bahnte sich an, als die drei am Heiligtum in Silo am traditionellen Opferfest teilnahmen.

Wenige Monate später brachte Hanna ihren Sohn Samuel zur Welt. Und sie erfüllte das Gelübde, das sie in Silo gegeben hatte. Ob sich nach der Geburt von Samuel das Verhältnis zwischen ihr, Peninna und Elkana veränderte, berichtet die Bibel nicht. Doch von Samuel ist umso mehr

87

die Rede: Er wurde einer der bedeutenden Propheten Israels. Er salbte Saul und David zu Königen und gestaltete die Staatwerdung Israels aktiv mit. Wie bei vielen großen Männern Israels, so ist auch bei Samuel ein besonderer Auftrag mit einer wundersamen Geburt verbunden. (1. Samuel 1,1-20)

In Ramatajim im Gebiet der Sippe Zuf im Bergland von Efraïm lebte ein Mann namens Elkana. Sein Vater hieß Jeroham, sein Großvater Elihu und sein Urgroßvater Tohu; der war ein Sohn des Efraïmiters Zuf. Elkana hatte zwei Frauen, Hanna und Peninna. Peninna hatte Kinder, aber Hanna war kinderlos.

Elkana ging einmal in jedem Jahr mit seiner Familie nach Schilo, um zum HERRN, dem Herrscher der Welt, zu beten und ihm ein Opfer darzubringen. In Schilo versahen Hofni und Pinhas, die beiden Söhne von Eli, den Priesterdienst. Beim Opfermahl gab Elkana seiner Frau Peninna und allen ihren Söhnen und Töchtern je einen Anteil vom Opferfleisch; Hanna aber bekam ein Extrastück, denn er liebte sie, obwohl der HERR ihr Kinder versagt hatte.

Darauf begann Peninna regelmäßig zu sticheln und suchte Hanna wegen ihrer Kinderlosigkeit zu kränken. Das wiederholte sich jedes Jahr, wenn sie zum Heiligtum des HERRN gingen: Peninna kränkte Hanna so sehr, dass sie weinte und nichts essen konnte. Elkana fragte sie dann: »Hanna, warum weinst du? Warum isst du nichts? Was bedrückt dich? Hast du an mir nicht mehr als an zehn Söhnen?«

Wieder einmal war es so geschehen. Als sie gegessen und getrunken hatten, stand Hanna auf und ging zum Eingang des Heiligtums. Neben der Tür saß der Priester Eli auf seinem Stuhl.

Hanna war ganz verzweifelt. Unter Tränen betete sie zum HERRN und machte ein Gelübde. Sie sagte: »HERR, du Herrscher der Welt, sieh doch meine Schande und hilf mir! Vergiss mich nicht und schenk mir einen Sohn! Ich verspreche dir dafür, dass er dir sein ganzes Leben lang gehören soll; und sein Haar soll niemals geschnitten werden.«

Hanna betete lange und Eli beobachtete sie. Er sah, wie sie die Lippen bewegte; aber weil sie still für sich betete, konnte er nichts hören. Darum hielt er sie für betrunken.

»Wie lange willst du dich hier so aufführen?«, fuhr er sie an. »Schlaf erst einmal deinen Rausch aus!«

»Nein, Herr«, erwiderte Hanna, »ich habe nichts getrunken; ich bin nur unglücklich und habe dem HERRN mein Herz ausgeschüttet. Denk nicht so schlecht von mir! Ich habe großen Kummer, ich bin ganz verzweifelt. Deshalb habe ich hier so lange gebetet.«

»Geh in Frieden«, sagte Eli zu ihr, »der Gott Israels wird deine Bitte erfüllen.«

Hanna verabschiedete sich und ging weg. Sie aß wieder und war nicht mehr traurig.

Am nächsten Morgen standen Elkana und seine Familie früh auf, beteten noch einmal im Heiligtum des HERRN und kehrten dann heim nach Rama. **89**

Als Elkana das nächste Mal mit Hanna schlief, erhörte der HERR ihr Gebet. Sie wurde schwanger und gebar einen Sohn. Sie sagte: »Ich habe ihn vom HERRN erbeten«, und nannte ihn deshalb Samuel.

Vom Ehebruch zum Mord
David, Batseba und Urija

Vom Fenster seines Palastes aus sah König David, wie Batseba badete. Er ließ die schöne Frau zu sich holen. Er schlief mit ihr, obwohl sie mit Urija, einem seiner Offiziere, verheiratet war. Doch der war weit weg, an der Front …
Was als flüchtiges Abenteuer begann, entwickelte sich zu einem Drama mit tödlichem Ausgang. Batseba wurde schwanger, und David versuchte mit allen Mitteln, diese Schwangerschaft dem betrogenen Ehemann unterzuschieben. Doch alle Versuche scheiterten. Da griff David zum letzten Mittel: zu einem militärisch getarnten Mord. Kein Ruhmesblatt für David! Der Prophet Natan musste ihm die Strafe Gottes für seine Taten verkündigen. Doch weil David seine Schuld anerkannte, wurde er verschont. Das Kind allerdings starb kurz nach der Geburt.
David heiratete Batseba, und die beiden bekamen noch ein Kind: Salomo, den Nachfolger Davids, der für seine Weisheit berühmt wurde.
Erstaunlich ist, dass die Geschichte von Urijas Ermordung nicht totgeschwiegen wurde, sondern mit all den

Heldentaten Davids zusammen überliefert ist. Die Israeliten haben bei aller Verehrung für König David nicht die Augen davor verschlossen, dass er ein Mensch mit großen Fehlern war. Heldenvergötterung war den alten Israeliten fremd. (2. Samuel 11,1–12,24)

Im folgenden Frühjahr, um die Zeit, wenn die Könige in den Krieg ziehen, schickte David Joab mit seinen Kriegsleuten und dazu das ganze Heer Israels von neuem in den Kampf. Sie setzten den Ammonitern schwer zu und belagerten ihre Hauptstadt Rabba. David selbst blieb in Jerusalem.

An einem Spätnachmittag erhob sich David von der Mittagsruhe und ging auf dem flachen Dach des Königspalastes auf und ab. Da sah er im Hof des Nachbarhauses eine Frau, die gerade badete. Sie war sehr schön. David ließ einen Diener kommen und erkundigte sich, wer sie sei. Man sagte ihm: »Das ist doch Batseba, die Tochter Ammiëls und Frau des Hetiters Urija.«

David schickte Boten hin und ließ sie holen. Sie kam zu ihm und er schlief mit ihr. Sie hatte gerade die Reinigung nach ihrer monatlichen Blutung vorgenommen. Danach kehrte sie wieder in ihr Haus zurück.

Die Frau wurde schwanger und ließ David ausrichten: »Ich bin schwanger geworden!«

Da sandte er einen Boten zu Joab mit dem Befehl: »Schick mir den Hetiter Urija her!«

Und Joab schickte ihn zu David.　　　**91**

Als Urija kam, erkundigte sich David, ob es Joab gut gehe und den Kriegsleuten gut gehe und ob die Kampfhandlungen erfolgreich verliefen. Dann sagte er zu ihm: »Geh jetzt nach Hause und ruh dich aus!«

Als Urija den Palast verließ, wurde ein königliches Ehrengeschenk hinter ihm hergetragen. Doch Urija ging nicht in sein Haus, sondern übernachtete mit den anderen Dienern seines Herrn am Tor des Königspalastes.

Als David gemeldet wurde: »Urija ist nicht nach Hause gegangen«, fragte er ihn: »Warum gehst du nicht nach Hause? Du hast doch einen langen Weg hinter dir?«

Urija antwortete: »Die Männer Israels und Judas stehen im Feld und auch die Bundeslade hat nur ein Zeltdach über sich; mein Befehlshaber Joab und seine Offiziere lagern auf dem bloßen Boden. Und da soll ich nach Hause gehen, essen und trinken und mit meiner Frau schlafen? So gewiss du lebst: Das werde ich nicht tun!«

David sagte: »Bleib noch einen Tag hier; morgen lasse ich dich gehen!«

Urija blieb den Tag in Jerusalem. Am nächsten Tag lud David ihn an seine Tafel. Er machte ihn betrunken, aber wieder ging Urija am Abend nicht nach Hause, sondern legte sich bei den anderen Dienern seines Herrn schlafen.

Am nächsten Morgen schrieb David einen Brief an Joab und ließ ihn durch Urija überbringen. Darin stand: »Stellt Urija in die vorderste Linie, wo der Kampf am härtesten ist! Dann zieht euch plötzlich von ihm zurück, sodass er erschlagen wird und den Tod findet.«

Joab wusste, wo die Gegner ihre tapfersten Kämpfer hatten. Als nun die Israeliten die Stadt weiter belagerten, stellte er Urija genau an diese Stelle. Einmal machten dort die Belagerten einen Ausfall und lieferten Joab ein Gefecht, bei dem einige von Davids Leuten fielen. Auch Urija fand dabei den Tod.

Joab meldete David den Verlauf des Gefechts. Er schärfte dem Boten ein: »Wenn du den ganzen Hergang berichtet hast, wird der König vielleicht zornig und fragt dich: ›Warum seid ihr beim Kampf so nahe an die Stadt herangegangen? Ihr wisst doch, dass von der Mauer heruntergeschossen wird! Habt ihr vergessen, wie es Abimelech, dem Sohn Jerubbaals, vor Tebez erging, als eine Frau den Mahlstein einer Handmühle von der Mauer warf, der ihn erschlug? Warum seid ihr so nahe an die Mauer herangerückt?‹ Dann sollst du sagen: ›Auch dein Diener Urija, der Hetiter, ist ums Leben gekommen.‹«

Der Bote ging zu David und meldete ihm alles, was Joab ihm aufgetragen hatte. Er berichtete: »Die Feinde waren stärker als wir, sie machten einen Ausfall und griffen uns auf offenem Feld an. Doch wir drängten sie bis dicht an das Stadttor zurück. Da schossen die Bogenschützen von der Mauer auf uns herunter. Einige von deinen Leuten fielen, auch dein Diener Urija, der Hetiter, fand dabei den Tod.«

David befahl dem Boten: »Sag Joab von mir: ›Nimm die Sache nicht so schwer! Das Schwert holt sich bald diesen, bald jenen. Nur Mut! Kämpfe noch entschiedener gegen die Stadt, bis sie zerstört ist!‹ So sollst du ihm Mut machen.« **93**

Als die Frau Urijas hörte, dass ihr Mann gefallen war, hielt sie für ihn die Totenklage. Nach Ablauf der Trauerzeit holte David sie zu sich in seinen Palast und heiratete sie. Sie gebar ihm einen Sohn.

Doch dem HERRN missfiel, was David getan hatte. Deshalb sandte der HERR den Propheten Natan zu David. Natan ging zum König und sagte: »Ich muss dir einen Rechtsfall vortragen: Zwei Männer lebten in derselben Stadt. Der eine war reich, der andere arm. Der Reiche besaß eine große Zahl von Schafen und Rindern. Der Arme hatte nichts außer einem einzigen kleinen Lämmchen. Er hatte es gekauft und zog es zusammen mit seinen Kindern bei sich auf. Es aß von seinem Brot, trank aus seinem Becher und schlief in seinem Schoß. Er hielt es wie eine Tochter. Eines Tages bekam der reiche Mann Besuch. Er wollte keines von seinen eigenen Schafen oder Rindern für seinen Gast hergeben. Darum nahm er dem Armen das Lamm weg und setzte es seinem Gast vor.«

David brach in heftigen Zorn aus und rief: »So gewiss der HERR lebt: Der Mann, der das getan hat, muss sterben! Und das Lamm muss er vierfach ersetzen – als Strafe dafür, dass er diese Untat begangen und kein Mitleid gehabt hat!«

»*Du* bist der Mann!«, sagte Natan zu David. »Und so spricht der HERR, der Gott Israels: ›Ich habe dich zum König über Israel gesalbt und dich vor den Nachstellungen Sauls gerettet. Ich habe dir den ganzen Besitz deines Herrn gegeben, habe seine Frauen in deinen Schoß gelegt und dich zum König über Juda und Israel gemacht. Und wenn das noch zu wenig war, hätte ich dir noch dies und das geben können. Warum hast du meine Gebote missachtet und getan, was mir missfällt? Du hast den Hetiter Urija auf dem Gewissen, durch das Schwert der Ammoniter hast du ihn umbringen lassen und dann hast du dir seine Frau genommen. Genauso wird nun das Schwert sich in aller Zukunft in deiner Familie Opfer suchen, weil du mich missachtet und die Frau des Hetiters zu deiner Frau gemacht hast.‹«

Und auch das sagte Natan noch: »So spricht der HERR: ›Aus deiner eigenen Familie lasse ich Unglück über dich kommen. Du wirst mit ansehen müssen, wie ich dir deine Frauen wegnehme und sie einem anderen gebe, der am helllichten Tag mit ihnen schlafen wird. Was du heimlich getan hast, will ich im Licht des Tages geschehen lassen und ganz Israel wird es sehen.‹«

David sagte zu Natan: »Ich bekenne mich schuldig vor dem HERRN!«

Natan erwiderte: »Auch wenn der HERR über deine Schuld hinwegsieht und du nicht sterben musst – der Sohn, den dir Batseba geboren hat, muss sterben, weil du mit deiner Untat den HERRN verhöhnt hast!«

Dann ging Natan nach Hause. Der HERR aber ließ das Kind, das Urijas Frau geboren hatte, schwer krank werden. David flehte Gott an, es am Leben zu lassen. Er rührte kein Essen an und legte sich nachts zum Schlafen auf den nackten Boden. Die vertrautesten unter seinen Hofleuten gingen zu ihm und wollten ihn aufheben und ins Bett bringen, aber er ließ es nicht zu und aß auch nicht mit ihnen.

Nach einer Woche starb das Kind. Keiner von Davids Dienern wagte ihm zu sagen, dass es tot war. »Schon als das Kind noch lebte, wollte er sich nicht trösten lassen«, sagten sie zueinander. »Wenn er nun erfährt, dass es gestorben ist, wird es für uns gefährlich!«

Als David merkte, dass seine Diener miteinander flüsterten, wurde ihm klar, was geschehen war. »Ist das Kind tot?«, fragte er.

»Ja«, antworteten sie.

Da stand David vom Boden auf, wusch und salbte sich und zog frische Kleider an. Dann ging er ins Heiligtum und warf sich vor dem HERRN nieder. Wieder in seinen Palast zurückgekehrt, ließ er sich etwas zu essen bringen. Seine Leute fragten ihn: »Wie sollen wir das verstehen? Als das Kind noch lebte, hast du geweint und gefastet, und nun, wo es gestorben ist, stehst du auf und isst!«

Doch David sagte: »Solange das Kind noch lebte, habe ich gefastet und geweint, weil ich dachte: Vielleicht hat der HERR doch noch Erbarmen mit mir und lässt es am Leben. Aber nun ist es tot; was soll ich mich da noch kasteien? Ich kann es ja doch nicht wieder zum Leben erwecken. Ich folge ihm einmal nach – aber zu mir kommt es nicht mehr zurück.«

Dann ging David zu Batseba, seiner Frau, und tröstete sie. Er schlief mit ihr und sie bekam wieder einen Sohn. David gab ihm den Namen Salomo.

Liebe in Verwicklungen

Eine Liebe ohne Komplikationen, ohne Missverständnisse, ohne Probleme – das wäre schön, gibt es aber in Wirklichkeit nicht. Auch die Bibel erzählt von Paaren, die in Bedrängnis geraten und deren Liebe auf die Probe gestellt wird. Spannend ist, ob und, wenn ja, wie sie diese Belastungen bestehen. Wie im richtigen Leben hat auch nicht jede biblische Ehekrise ein Happyend. Und bei den Paaren, deren Beziehung gestärkt aus der Krise hervorgeht, spürt man: Es ist schon ein Wunder, wenn das gelingt!

Die Last des Alltags tragen
Nochmals Adam und Eva

Adam und Eva sind das erste Paar der Menschheitsgeschichte, wie sie die Bibel erzählt. Wir können davon ausgehen, dass sie einander geliebt haben – war doch alles »gut«, was Gott gemacht hatte. Wie sich Geltungssucht, Neid, Karrierestreben und List in diese gute Welt Gottes eingeschlichen haben, gehört zu den großen Fragen der Menschheit.

Die Folgen spürten Adam und Eva am eigenen Leib: Nachdem sie vom Baum der Erkenntnis des Guten und Bösen gegessen hatten, mussten sie das Paradies verlassen und ihr Erdendasein fristen. Sie mussten hart schuften, um zu überleben. Sie lebten von dem, was der karge Ackerboden hergab.

Unter Schmerzen brachte Eva ihre Kinder zur Welt. Die beiden ältesten Söhne der beiden, Kain und Abel, waren so verschieden, wie Brüder unterschiedlicher kaum sein können: der eine Hirte, der andere Landwirt. Der eine war erfolgreich, dem anderen blieb der Erfolg versagt. Ihre Unterschiedlichkeit führte zur Katastrophe.

Adam und Eva trugen die Last des Alltags miteinander, ertrugen zusammen die Härten des Lebens und mussten Unglück und Totschlag in der eigenen Familie verkraften.

Das erste Paar der Menschheit hatte ein schweres Lebensschicksal zu tragen, wie viele andere Paare bis in die Gegenwart. Auch deshalb sind die beiden Urbild und Vorbild. An ihnen wird der Realismus der Bibel sichtbar. Sie zeichnet nämlich kein geschöntes Bild von Zweisamkeit, sondern das wirkliche Leben mit all seinen Schwierigkeiten, so, wie es ist. (1. Mose / Genesis 3,1-24)

Die Schlange war das klügste von allen Tieren des Feldes, die Gott, der HERR, gemacht hatte. Sie fragte die Frau: »Hat Gott wirklich gesagt: ›Ihr dürft die Früchte von den Bäumen im Garten nicht essen‹?«

»Natürlich dürfen wir sie essen«, erwiderte die Frau, »nur nicht die Früchte von dem Baum in der Mitte des Gartens.

Gott hat gesagt: ›Esst nicht davon, berührt sie nicht, sonst müsst ihr sterben!‹«

»Nein, nein«, sagte die Schlange, »ihr werdet bestimmt nicht sterben! Aber Gott weiß: Sobald ihr davon esst, werden euch die Augen aufgehen; ihr werdet wie Gott sein und wissen, was gut und was schlecht ist. Dann werdet ihr euer Leben selbst in die Hand nehmen können.«

Die Frau sah den Baum an: Seine Früchte mussten köstlich schmecken, sie anzusehen war eine Augenweide und es war verlockend, dass man davon klug werden sollte! Sie nahm von den Früchten und aß. Dann gab sie auch ihrem Mann davon und er aß ebenso.

Da gingen den beiden die Augen auf und sie merkten, dass sie nackt waren. Deshalb flochten sie Feigenblätter zusammen und machten sich Lendenschurze.

Am Abend, als es kühler wurde, hörten sie, wie Gott, der HERR, durch den Garten ging. Da versteckten sich der Mensch und seine Frau vor Gott zwischen den Bäumen. Aber Gott rief nach dem Menschen: »Wo bist du?«

Der antwortete: »Ich hörte dich kommen und bekam Angst, weil ich nackt bin. Da habe ich mich versteckt!«

»Wer hat dir gesagt, dass du nackt bist?«, fragte Gott. »Hast du etwa von den verbotenen Früchten gegessen?«

Der Mensch erwiderte: »Die Frau, die du mir an die Seite gestellt hast, gab mir davon; da habe ich gegessen.«

Gott, der HERR, sagte zur Frau: »Was hast du da getan?«

Sie antwortete: »Die Schlange ist schuld, sie hat mich zum Essen verführt!«

99

Da sagte Gott, der HERR, zu der Schlange: »Verflucht sollst du sein wegen dieser Tat! Auf dem Bauch wirst du kriechen und Staub fressen dein Leben lang – du allein von allen Tieren. Und Feindschaft soll herrschen zwischen dir und der Frau, zwischen deinen Nachkommen und den ihren. Sie werden euch den Kopf zertreten, und ihr werdet sie in die Ferse beißen.«

Zur Frau aber sagte Gott: »Ich verhänge über dich, dass du Mühsal und Beschwerden hast, jedes Mal wenn du schwanger bist; und unter Schmerzen bringst du Kinder zur Welt. Es wird dich zu deinem Mann hinziehen, aber er wird über dich herrschen.«

Und zum Mann sagte Gott: »Weil du auf deine Frau gehört und mein Verbot übertreten hast, gilt von nun an: Deinetwegen ist der Acker verflucht. Mit Mühsal wirst du dich davon ernähren, dein Leben lang. Dornen und Disteln werden dort wachsen, und du wirst die Pflanzen des Feldes essen. Viel Schweiß musst du vergießen, um dein tägliches Brot zu bekommen, bis du zurückkehrst zur Erde, von der du genommen bist. Ja, Staub bist du, und zu Staub musst du wieder werden!«

Der Mensch nannte seine Frau Eva, denn sie sollte die Mutter aller Menschen werden. Und Gott, der HERR, machte für den Menschen und seine Frau Kleider aus Fellen. Dann sagte Gott: »Nun ist der Mensch wie einer von uns geworden und weiß, was gut und was schlecht ist. Es darf nicht sein, dass er auch noch vom Baum des Lebens isst. Sonst

wird er ewig leben!«

Und er schickte den Menschen aus dem Garten Eden weg, damit er den Ackerboden bearbeite, aus dem er gemacht war.

So trieb Gott, der HERR, die Menschen hinaus und stellte östlich von Eden die Keruben und das flammende Schwert als Wächter auf. Niemand sollte zum Baum des Lebens gelangen können.

Gefährliche Notlüge
Abraham und Sara in Ägypten

Die Ehe von Sara und Abraham wurde mehrfach auf schwere Proben gestellt. So hatte Gott von ihnen verlangt, ihre vertraute Heimat zu verlassen und in eine ungewisse Zukunft aufzubrechen – ein Unterfangen, das sicherlich zu heftigen Diskussionen zwischen den Eheleuten geführt haben dürfte. Sie brachen jedoch auf, legten viele Hundert Kilometer zurück und erreichten dann tatsächlich das »gelobte Land«, das Gott für sie ausgesucht hatte.

Doch kaum waren sie angekommen, gab es eine schwere Hungersnot. Sara und Abraham waren gezwungen, nach Ägypten zu fliehen, dorthin, wo es Nahrungsmittel zu kaufen gab. Sie wussten, dass sie als Flüchtlinge nichts Gutes zu erwarten hatten: Flüchtlinge wurden schlecht behandelt und als billige Arbeitskräfte ausgebeutet. Oft genug geschah es auch, dass die Einheimischen einen Ehemann erschlugen, um an die Flüchtlingsfrau heranzu-

101

kommen. Beschützt hat sie niemand, Flüchtlinge waren rechtlos, wie sie es bis heute in weiten Teilen der Welt sind.

Abraham und Sara kannten die Gefahr. Er bat seine Frau, sich als seine Schwester auszugeben, um sein Leben zu schützen. Sie willigte in den Plan ein. Und prompt fiel Sara wegen ihrer Schönheit auf. Sogar der Pharao hörte von ihr. Er holte sie in sein Bett und steckte sie dann in seinen Harem. Wie es gelingt, dass sie aus dem Harem herauskommt und die beiden unter Geleitschutz Ägypten verlassen können, liest sich wie eine Wundergeschichte – und ist auch eine.

Diese Erzählung mutet uns heute sehr fremdartig an. Dass ein Mann seine Frau in einen Harem gibt, um seine eigene Haut zu retten, ruft viel Ärger hervor. Realistisch betrachtet hatten die beiden unter den Lebensbedingungen von Flüchtlingen aber kaum eine andere Chance als diese Lüge. Sara rettete ihrem Mann damit das Leben. Die beiden sind daher ein Beispiel dafür, was Mann und Frau aus Liebe füreinander ertragen können, wenn sie bedroht und verfolgt und unterdrückt werden. (1. Mose / Genesis 12,10-20)

Damals brach im Land Kanaan eine schwere Hungersnot aus. Darum suchte Abram Zuflucht in Ägypten. Als er an die ägyptische Grenze kam, sagte er zu Sarai: »Ich weiß, dass du eine schöne Frau bist. Wenn die Ägypter dich sehen, werden sie sagen: ›Das ist seine Frau‹, und sie werden mich totschlagen, um dich zu bekommen. Sag deshalb, du seist meine Schwester, dann werden sie mich deinetwegen gut behandeln und am Leben lassen.«

In Ägypten traf ein, was Abram vorausgesehen hatte. Überall fiel Sarai durch ihre Schönheit auf. Die Hofleute priesen sie dem Pharao in den höchsten Tönen, und er ließ sie in seinen Palast holen. Ihr zuliebe war er freundlich zu Abram und schenkte ihm Schafe und Ziegen, Rinder, Esel und Kamele, Sklaven und Sklavinnen.

Doch weil der Pharao sich die Frau Abrams genommen hatte, bestrafte der HERR ihn mit einer schweren Krankheit, ihn und alle andern in seinem Palast. Da ließ der Pharao Abram rufen und sagte zu ihm: »Warum hast du mir das angetan? Du hättest mir doch sagen können, dass sie deine Frau ist! Aber du hast sie für deine Schwester ausgegeben, nur deshalb habe ich sie mir zur Frau genommen. Nun, sie gehört dir; nimm sie und geh!«

Der Pharao bestellte eine Abteilung Soldaten und ließ Abram mit seiner Frau und seinem ganzen Besitz über die Grenze bringen.

Mit List und Tücke
Juda und Tamar

Die Geschichte von Juda und Tamar ist die Geschichte eines Mannes, der seine Pflichten nicht anerkennt, und einer Frau, die sich auf listige Weise ihr Recht verschafft.

Tamar ist Judas Schwiegertochter. Als sein Sohn stirbt, ist er nach den Regeln seiner Zeit verpflichtet, seine Schwiegertochter zu versorgen und sie dazu mit einem anderen seiner Söhne zu verheiraten. Doch Juda hält sich nicht an die Regeln. Ihn lässt das Schicksal seiner Schwiegertochter kalt. Dieser bleibt nichts anderes übrig, als zu einer geschickten, aber drastischen List zu greifen. Sie verkleidet sich als Prostituierte, sorgt dafür, dass sie ihrem Schwiegervater begegnet und er mit ihr schläft. Später kann sie ihn entlarven und zwingt Juda, ihr die rechtmäßig zustehende Ehe zu verschaffen.

Eine »Liebesgeschichte« im klassischen Sinn ist dies sicher nicht – aber ein biblisches Beispiel dafür, wie eine bedrängte Frau die Leidenschaft ausnutzt, um ihr Recht zu bekommen. Der vermeintlich Stärkere sieht dabei sehr schwach aus. (1. Mose / Genesis 38,1-30)

Um diese Zeit trennte sich Juda von seinen Brüdern und zog hinunter ins Hügelland. Er wohnte in Adullam bei einem Mann namens Hira. Dort sah er die Tochter des Kanaaniters Schua und heiratete sie.

Sie wurde schwanger und gebar einen Sohn, dem er den Namen Er gab. Dann wurde sie wieder schwanger und gebar einen zweiten Sohn; den nannte sie Onan. Und den dritten Sohn nannte sie Schela. Als dieser geboren wurde, war Juda gerade in Kesib.

Juda verheiratete Er, seinen erstgeborenen Sohn, mit einer

Frau namens Tamar. Aber sein Erstgeborener tat, was dem

HERRN missfällt, und der HERR ließ ihn sterben. Da sagte Juda zu Onan: »Dein Bruder hat deine Schwägerin kinderlos hinterlassen. Du bist verpflichtet, für deinen Bruder einen Sohn zu zeugen, damit sein Geschlecht nicht ausstirbt.«

Onan war es klar, dass das Kind nicht ihm gehören würde. Deshalb ließ er jedes Mal, wenn er mit Tamar schlief, seinen Samen auf die Erde fallen, um seinem Bruder keine Nachkommen zu verschaffen. Das missfiel dem HERRN und er ließ auch Onan sterben.

Da sagte Juda zu seiner Schwiegertochter Tamar: »Bleib jetzt als Witwe im Haus deines Vaters, bis mein Sohn Schela alt genug ist.«

In Wahrheit aber dachte er: »Ich will nicht auch noch den letzten Sohn verlieren.«

So kehrte Tamar ins Haus ihres Vaters zurück und blieb dort.

Nach einiger Zeit starb Judas Frau, die Tochter Schuas. Als die Trauerzeit vorüber war, ging Juda mit seinem Freund Hira auf die Berge nach Timna, um nach den Männern zu sehen, die gerade seine Schafe schoren.

Als Tamar hörte, dass ihr Schwiegervater auf dem Weg nach Timna war, legte sie ihre Witwenkleider ab, verhüllte ihr Gesicht mit einem Schleier und setzte sich an die Straße nach Timna, dort, wo der Weg nach Enajim abzweigt. Sie hatte genau gemerkt, dass Schela inzwischen erwachsen war und Juda nicht von ferne daran dachte, sie nun seinem Sohn zur Frau zu geben.

105

Als Juda sie verschleiert am Wegrand sitzen sah, hielt er sie für eine Prostituierte. Er ging zu ihr hin und sagte: »Lass mich mit dir schlafen.«

Er wusste ja nicht, dass es seine Schwiegertochter war.

»Was gibst du mir dafür?«, fragte sie.

Er sagte: »Ich schicke dir ein Ziegenböckchen von meiner Herde.«

»Gut, aber du musst mir ein Pfand dalassen.«

»Was soll es sein?«

»Das Band mit deinem Siegelring und der geschnitzte Stock in deiner Hand.«

Juda gab ihr, was sie wollte. Dann schlief er mit ihr und sie wurde schwanger.

Sie ging wieder weg, legte den Schleier ab und zog ihre Witwenkleider an.

Juda schickte seinen Freund aus Adullam mit dem Ziegenböckchen, um die Pfänder einzulösen. Aber die Frau war nicht mehr zu finden. Der Freund fragte die Leute aus Enajim: »Wo ist denn die geweihte Frau, die hier an der Straße saß?«

Sie sagten: »Hier gibt es keine geweihte Frau.«

Er kehrte zu Juda zurück und berichtete ihm: »Ich habe sie nicht gefunden, und auch die Leute dort erinnern sich nicht an eine solche Frau.«

»Soll sie die Sachen behalten«, sagte Juda. »Wenn wir weiter nachforschen, komme ich noch ins Gerede. Ich habe mein Versprechen gehalten, aber du hast sie nicht gefunden.«

Nach etwa drei Monaten bekam Juda die Nachricht: »Deine Schwiegertochter Tamar hat Hurerei getrieben und ist davon schwanger geworden!«

»Führt sie vor das Dorf!«, befahl Juda. »Sie muss verbrannt werden.«

Als man sie hinausführen wollte, schickte Tamar ihrem Schwiegervater die Pfänder und ließ ihm sagen: »Sieh dir einmal den Siegelring und den Stock da an! Von dem Mann, dem das gehört, bin ich schwanger.«

Juda sah sich die Sachen genau an und sagte dann: »Sie ist im Recht, die Schuld liegt bei mir. Ich hätte sie meinem Sohn Schela zur Frau geben müssen.«

Er nahm sie in sein Haus, schlief aber nicht wieder mit ihr.

Als für Tamar die Zeit der Entbindung kam, zeigte es sich, dass sie Zwillinge hatte. Während der Geburt streckte der eine seine Hand heraus. Die Hebamme band einen roten Faden um das Handgelenk und sagte: »Der ist der Erstgeborene.«

Er zog seine Hand aber wieder zurück und sein Bruder kam zuerst heraus. Die Hebamme sagte: »Mit was für einem Riss hast du dir den Vortritt erzwungen!«

Deshalb nannte man ihn Perez. Erst dann kam der mit dem roten Faden heraus; ihn nannte man Serach.

Späte Schwangerschaft
Elisabet und Zacharias

Schon viele Jahre währte die Belastungsprobe für die Ehe von Zacharias und Elisabet: Sie bekamen keine Kinder. Auch wenn dies zu ihrer Zeit nicht mehr so problematisch war wie früher (vgl. die Geschichte von Hanna und Elkana), so litten die beiden doch unter der Kinderlosigkeit und unter dem Gedanken, ihre Familie nicht weiterführen zu können.

Elisabet und Zacharias lebten in den Jahrzehnten vor der Zeitenwende. Israel stand unter der Herrschaft der Römer. Herodes war König von ihren Gnaden. Politisch war Israel machtlos, doch die jüdische Religion durfte ausgeübt werden. Zacharias gehörte zu den Priestern, die regelmäßig ihren Dienst im Tempel ausübten. Bei einem Gottesdienst wurde ihm ein Sohn angekündigt. Zacharias konnte das nicht recht glauben und verlangte ein Zeichen. Das Zeichen wurde er selbst.

Elisabet wurde schwanger, zur gleichen Zeit wie ihre Verwandte Maria, die Mutter Jesu. Die alte und die junge Frau erlebten beide eine wundersame Schwangerschaft. Als dann der angekündigte Sohn geboren war und seinen Namen erhalten sollte, wurde auch Zacharias wieder gesund. So waren Geburt und Namensgebung ihres Sohnes auf wunderbare Weise mit Gott verknüpft. Später sollte er als Johannes der Täufer bekannt werden. Als Bußprediger zog er durch das Land, berührte mit seinen Worten viele

Menschen und taufte sie. Auch Jesus kam zu ihm und ließ sich von ihm taufen. (Lukas 1,5-25.57-66)

Zu der Zeit, als König Herodes über das jüdische Land herrschte, lebte ein Priester namens Zacharias, der zur Priestergruppe Abija gehörte. Auch seine Frau stammte aus einer Priesterfamilie; sie hieß Elisabet.

Beide führten ein Leben, das Gott gefiel; sie richteten sich in allem nach den Geboten und Anweisungen des Herrn. Sie waren aber kinderlos, denn Elisabet konnte keine Kinder bekommen; außerdem waren sie auch schon sehr alt.

Einmal hatte Zacharias wieder Dienst am Tempel in Jerusalem, weil die Priestergruppe, zu der er gehörte, gerade an der Reihe war. Es war unter den Priestern üblich, die einzelnen Dienste durch das Los zu verteilen. An einem bestimmten Tag fiel Zacharias die Aufgabe zu, das Räucheropfer darzubringen. So ging er in das Innere des Tempels, während das ganze versammelte Volk draußen betete.

Da erschien ihm plötzlich der Engel des Herrn. Der Engel stand an der rechten Seite des Altars, auf dem der Weihrauch verbrannt wurde. Als Zacharias ihn sah, erschrak er und bekam große Angst. Aber der Engel sagte zu ihm: »Hab keine Angst, Zacharias! Gott hat dein Gebet erhört. Deine Frau Elisabet wird dir einen Sohn gebären, den sollst du Johannes nennen. Dann wirst du voll Freude und Jubel sein, und noch viele andere werden sich freuen über seine Geburt. Denn er ist vom Herrn zu großen Taten berufen. **109**

Als Gottgeweihter wird er keinen Wein und auch sonst keinen Alkohol trinken. Schon im Mutterleib wird der Geist Gottes ihn erfüllen, und er wird viele aus dem Volk Israel zum Herrn, ihrem Gott, zurückführen. Er wird dem Herrn als Bote vorausgehen, im gleichen Geist und mit der gleichen Kraft wie der Prophet Elija. Seine Aufgabe wird es sein, das Herz der Eltern den Kindern zuzuwenden und alle Ungehorsamen auf den rechten Weg zurückzubringen. So wird er dem Herrn ein Volk zuführen, das auf sein Kommen vorbereitet ist.«

Zacharias sagte zu dem Engel: »Woran soll ich erkennen, dass es wirklich so kommen wird? Ich bin doch ein alter Mann, und meine Frau ist auch schon in vorgeschrittenen Jahren.«

Der Engel antwortete: »Ich bin Gabriel, der vor Gottes Thron steht. Gott hat mich zu dir gesandt, um dir diese gute Nachricht zu bringen. Was ich gesagt habe, wird zur gegebenen Zeit eintreffen. Aber weil du mir nicht geglaubt hast, wirst du so lange stumm sein und nicht mehr sprechen können, bis es eingetroffen ist.«

Das Volk wartete draußen auf Zacharias und wunderte sich, dass er so lange im Tempel blieb. Als er schließlich herauskam, konnte er nicht zu ihnen sprechen. Da merkten sie, dass er im Tempel eine Erscheinung gehabt hatte. Er gab ihnen Zeichen mit der Hand und blieb auch weiterhin stumm.

Als seine Dienstwoche im Tempel beendet war, ging Zacharias nach Hause. Bald darauf wurde seine Frau Elisabet schwanger und zog sich fünf Monate lang völlig zurück. Sie sagte: »Das hat der Herr an mir getan! Wegen meiner Kinderlosigkeit haben mich die Leute verachtet; aber er hat sich um mich gekümmert und die Schande von mir genommen.«

Als für Elisabet die Zeit der Entbindung gekommen war, gebar sie einen Sohn. Die Nachbarn und Nachbarinnen und die Verwandten hörten es und freuten sich mit, dass Gott so großes Erbarmen mit ihr gehabt hatte. Als das Kind acht Tage alt war und beschnitten werden sollte, kamen sie alle dazu. Sie wollten es nach seinem Vater Zacharias nennen. Aber die Mutter sagte: »Nein, er soll Johannes heißen!« Sie wandten ein: »Warum denn? In deiner ganzen Verwandtschaft gibt es keinen, der so heißt.«
Sie fragten den Vater durch Zeichen, wie der Sohn heißen solle. Zacharias ließ sich eine Schreibtafel geben und schrieb: »Er heißt Johannes.«
Und sie wunderten sich alle.
Im selben Augenblick konnte Zacharias wieder sprechen, und sofort fing er an, Gott zu preisen. Da ergriff alle, die aus der Nachbarschaft gekommen waren, ehrfürchtiges Staunen, und im ganzen Bergland von Judäa sprachen die Leute über das, was geschehen war. Alle, die davon hörten, dachten darüber nach und fragten sich: »Was wird aus dem Kind einmal werden?«
Denn es war offensichtlich, dass der Herr etwas Besonderes mit Johannes vorhatte.

Vertrauen wiedergewinnen
Maria und Josef

Als Josef erfuhr, dass seine Verlobte Maria schwanger war, muss für ihn eine Welt zusammengebrochen sein. Er war nicht der Vater, das wusste er genau. Nach dem Gesetz, das einen Seitensprung auch unter Verlobten streng bestrafte, hatte sich Maria des Ehebruchs schuldig gemacht. Und der wurde hart bestraft: durch Steinigung.
Josef schwieg. Er liebte Maria und wollte ihren Tod nicht. Andererseits war sein Vertrauen zu ihr schwer erschüttert. Mit einer untreuen Frau wollte er nicht sein Leben verbringen. Er beschloss, sie zu heiraten und sich dann heimlich davonzumachen. Für die Leute hätte es so ausgesehen, dass er seine Frau im Stich gelassen hatte – aber mit diesem falschen Eindruck könnte er leben. Die Liebe galt Josef mehr als das Gesetz. Und er war zerrissen zwischen Liebe, Enttäuschung und Verantwortungsbewusstsein. Gott half ihm, das Vertrauen zu Maria wiederzugewinnen – und Josef nahm Jesus wie sein eigenes Kind an.
Die Geburt Jesu ist mit vielerlei Wundern verbunden, auch mit diesem: dass das erschütterte Vertrauen zwischen zwei Liebenden wieder wachsen kann, dass Misstrauen überwunden werden kann. (Matthäus 1,18-25)

M it der Zeugung von Jesus Christus verhielt es sich so: Seine Mutter Maria war mit Josef schon rechtsgültig verheiratet, aber sie hatten die Ehe noch nicht vollzogen.

Da stellte sich heraus, dass Maria ein Kind erwartete – durch die Wirkung des Heiligen Geistes.

Josef, ihr Mann, war großmütig und wollte sie nicht vor Gericht bringen. Deshalb hatte er vor, sich stillschweigend von ihr zu trennen. Während er noch hin und her überlegte, erschien ihm im Traum der Engel des Herrn und sagte zu ihm: »Josef, du Nachkomme Davids, scheue dich nicht, Maria, deine Frau, zu dir zu nehmen! Denn das Kind, das sie erwartet, kommt vom Geist Gottes. Sie wird einen Sohn zur Welt bringen; den sollst du Jesus nennen. Denn er wird sein Volk von aller Schuld befreien.«

Dies alles geschah, damit in Erfüllung ging, was der Herr durch den Propheten angekündigt hatte: »Die Jungfrau wird schwanger werden und einen Sohn zur Welt bringen, den werden sie Immanuël nennen.« Der Name bedeutet: »Gott steht uns bei«.

Als Josef erwachte, tat er, was der Engel des Herrn ihm befohlen hatte, und nahm seine Frau zu sich. Er hatte aber keinen ehelichen Verkehr mit ihr, bis sie ihren Sohn geboren hatte. Und er gab ihm den Namen Jesus.

Liebe und Gewalt

Mit Liebe verbinden wir so wunderbare Dinge wie Wärme und Geborgenheit, Freude und Leidenschaft, Vertrauen und Harmonie. Doch enttäuschte und zurückgewiesene Liebe kann erschreckend schnell in ihr Gegenteil umschlagen: in Hass und Gewalt, in Verbissenheit und Zorn – und in dem tiefen Wunsch nach Zerstörung des eben noch begehrten Menschen gipfeln.

Die Wut der abgewiesenen Frau
Potifars Gemahlin und Josef

Viele Sklavinnen und Hausmädchen erleiden das Schicksal, vom Hausherrn sexuell bedrängt, genötigt oder vergewaltigt zu werden. Die Geschichte von Josef zeigt, dass auch Männer in Abhängigkeitsverhältnissen davor nicht gefeit sind.

Josef war der Lieblingssohn seines Vaters Jakobs. Das brachte seine zehn älteren Brüder mehr und mehr gegen ihn auf. Ihr Hass wuchs so sehr, dass sie ihn als Sklaven verkauften.

Josef kam nach Ägypten in das Haus des hohen Beamten Potifar. Dort fiel er rasch durch seine Intelligenz und seine

Sorgfalt auf. Potifar machte ihn, den Sklaven, zu seinem Vertrauten.

Auch der Frau des Potifar gefiel der junge Israelit, besonders seine körperlichen Vorzüge. Als sie mit ihm allein im Haus war, wollte sie ihn verführen. Doch Josef, ein frommer Mann, wollte keinen Ehebruch begehen und blieb gegen ihre Reize immun. Potifars Frau fühlte sich zurückgestoßen, war wütend und enttäuscht. Ihre Leidenschaft wandelte sich in Zorn – und ihr Zorn schrie nach Rache. Sie zerriss ihr Kleid, rief laut um Hilfe und behauptete, Josef habe sie missbrauchen wollen. Die Strafe, die er nach dieser Beschuldigung zu erwarten hatte, war ihm und ihr klar: Ein Sklave, der seiner Herrin Gewalt antun wollte, musste sterben. Potifar aber ließ Josef nicht hinrichten, sondern nur ins Gefängnis werfen. Er ahnte vielleicht, was in seiner Abwesenheit wirklich geschehen war.

Josefs Lebensweg nahm noch manche dramatische Wendung, bis er schließlich Minister des Pharao wurde und durch seine vorausschauende Planung die Ägypter und schließlich auch seine Brüder in einer Hungersnot rettete. Die Bibel erzählt seine bewegende Lebensgeschichte, damit wir daraus lernen: Die Menschen machen vieles falsch, schlecht und mit bösen Absichten – doch Gott kann Gutes daraus werden lassen. (1. Mose / Genesis 39,1-20a)

115

Josef war von ismaëlitischen Kaufleuten nach Ägypten gebracht worden. Ein Mann namens Potifar, ein Hofbeamter des Pharaos, der Befehlshaber der königlichen Leibwache, kaufte ihn den Ismaëlitern ab. Josef wurde in seinem Haus beschäftigt. Gott aber half ihm, sodass ihm alles glückte, was er tat.

Weil der Ägypter sah, dass Gott Josef beistand und ihm alles gelingen ließ, fand Josef seine Gunst. Er machte ihn zu seinem persönlichen Diener, übergab ihm sogar die Aufsicht über sein Hauswesen und vertraute ihm die Verwaltung seines ganzen Besitzes an.

Von diesem Zeitpunkt an lag der Segen Gottes auf Potifar; Josef zuliebe ließ Gott im Haus und auf den Feldern alles gedeihen. Sein Herr überließ Josef alles und kümmerte sich zu Hause um nichts mehr außer um sein eigenes Essen.

Josef war ein ausnehmend schöner Mann. So kam es, dass Potifars Frau ein Auge auf ihn warf. Eines Tages forderte sie ihn auf: »Komm mit mir ins Bett!«

Josef wies sie ab: »Mein Herr hat mir seinen ganzen Besitz anvertraut und kümmert sich selbst um nichts mehr in seinem Haus. Er gilt hier nicht mehr als ich. Nichts hat er mir vorenthalten außer dich, seine Frau! Wie könnte ich da ein so großes Unrecht begehen und mich gegen Gott versündigen?«

Tag für Tag redete sie auf Josef ein, aber er gab ihr nicht nach.

Einmal hatte Josef im Haus zu tun; niemand von der Dienerschaft war gerade in der Nähe. Da hielt sie ihn an seinem Gewand fest und sagte: »Komm jetzt mit ins Bett!« Er riss sich los und lief hinaus; das Gewand blieb in ihrer Hand zurück.

Als sie merkte, dass Josef fort war und sie sein Gewand in der Hand hielt, rief sie die Dienerschaft herbei und sagte: »Seht euch das an! Mein Mann hat uns diesen Hebräer ins Haus gebracht, der nun seinen Mutwillen mit uns treibt. Er drang bei mir ein und wollte mit mir ins Bett. Da habe ich laut geschrien. Und als er mich schreien hörte, ließ er sein Gewand neben mir liegen und rannte davon.«

Sie legte Josefs Gewand neben sich und wartete, bis ihr Mann nach Hause kam. Auch zu ihm sagte sie: »Dein hebräischer Knecht, den du ins Haus gebracht hast, drang bei mir ein und wollte sein Spiel mit mir treiben; und als ich laut zu schreien anfing, ließ er sein Gewand neben mir liegen und rannte davon.«

Als Potifar das hörte, packte ihn der Zorn. Er ließ Josef festnehmen und in das königliche Gefängnis bringen.

Erst begehrt, dann entehrt
Amnon und Tamar

Wie hatte Amnon sie begehrt! Der Sohn König Davids war wie besessen von Leidenschaft zu seiner Halbschwester Tamar. Doch sie wies ihn zurück. Er war blind vor Wut darüber. Und seine Leidenschaft wurde durch die Abweisung erst recht angestachelt. Mit einer gemeinen List rührte er

Tamars Mitleid an und schaffte es, dass sie in sein Schlafzimmer kam. Dort fiel er über sie her und vergewaltigte
sie – und war sie im gleichen Moment schon leid. Doch
nicht Amnon musste die Folgen der bösen Tat büßen,
sondern Tamar: Als entehrte Frau konnte sie nicht mehr
heiraten. Sie musste ihr Leben einsam und zurückge-
zogen fristen, wie eine Witwe.

Nun war Amnon kein gewöhnlicher Sohn Davids, sondern sein Ältester und damit der designierte Thronfolger.
Mit seiner Tat zog er den Hass seines jüngeren Halbbruders Abschalom auf sich – Abschalom war Tamars Bruder
und rächte sie zwei Jahre später blutig. (2.Samuel 13,1-29)

Davids Sohn Abschalom hatte eine Schwester namens
Tamar. Sie war sehr schön, und ihr Halbbruder Am-
non, einer der anderen Söhne Davids, verliebte sich in sie.
Er war ganz niedergedrückt und wurde fast krank ihret-
wegen; sie war nämlich noch Jungfrau und er sah keine
Möglichkeit, sich ihr zu nähern.

Nun hatte Amnon einen Freund namens Jonadab. Er war
ein Sohn von Davids Bruder Schima und wusste in jeder
Lage einen Rat. Er sagte zu Amnon: »Warum bist du Morgen für Morgen so niedergeschlagen, Prinz? Willst du mir
nicht sagen, was dich bedrückt?«

»Ich bin verliebt in Tamar, die Schwester meines Bruders
Abschalom«, erwiderte er.

Jonadab riet ihm: »Du legst dich ins Bett und stellst dich
krank. Wenn dein Vater nach dir sieht, dann sagst du zu

ihm: ›Meine Schwester Tamar soll kommen und mir etwas Stärkendes zu essen geben. Hier vor meinen Augen soll sie es zubereiten, damit ich zusehen kann. Dann soll sie selbst es mir reichen.‹«

Amnon legte sich also hin und stellte sich krank, und als der König ihn besuchte, sagte er zu ihm: »Meine Schwester Tamar soll kommen und hier vor meinen Augen ein paar Küchlein backen; von ihrer Hand werde ich sie essen.«

David schickte jemand zu Tamar ins Haus und ließ ihr sagen: »Geh ins Haus deines Bruders Amnon und mach ihm etwas Stärkendes zu essen!«

So ging Tamar ins Haus ihres Bruders Amnon; er lag im Bett. Sie nahm Teig, knetete ihn, formte Küchlein daraus und backte sie in der Pfanne. Amnon konnte ihr dabei vom Nebenraum aus zusehen. Dann nahm sie die Pfanne und schüttete die Speise auf einen Teller. Aber er weigerte sich zu essen. »Die anderen sollen erst hinausgehen«, verlangte er.

Als alle fort waren, sagte er zu Tamar: »Bring mir die Speise ins Schlafzimmer! Ich mag nur essen, wenn du sie mir mit eigener Hand gibst.«

Tamar nahm die Küchlein, die sie gebacken hatte, und brachte sie ihrem Bruder ans Bett. Als sie ihm aber etwas davon reichte, packte er sie und sagte: »Komm, Schwester, leg dich zu mir!«

»Nein, Bruder, tu mir nicht Gewalt an!«, wehrte sie sich. »Das darf in Israel nicht geschehen! Begeh nicht eine solche Schandtat! Was soll aus mir werden, wenn du mich so **119** entehrst? Und du selbst würdest in Israel wie einer von den gottvergessenen Schurken dastehen. Sprich doch mit dem König! Er wird mich dir sicher zur Frau geben.«

Doch Amnon wollte nicht auf sie hören. Er fiel über sie her und vergewaltigte sie.

Hinterher aber empfand er eine solche Abneigung gegen das Mädchen, dass er es nicht mehr ausstehen konnte. Sein Abscheu war größer, als vorher sein Verlangen gewesen war. »Steh auf! Mach, dass du fortkommst!«, sagte er zu ihr.

»Nein, jag mich nicht weg!«, flehte sie ihn an. »Das wäre ein noch größeres Unrecht als das erste.«

Aber Amnon wollte nicht auf sie hören. Er rief seinen engsten Diener und befahl ihm: »Wirf mir die da hinaus und verriegle die Tür hinter ihr!«

Tamar hatte ein Gewand mit langen Ärmeln an, wie es die unverheirateten Königstöchter trugen. Als der Diener sie hinauswarf und die Tür hinter ihr verschloss, streute sie sich Staub aufs Haar, zerriss das Ärmelkleid, legte die Hand auf den Kopf und lief laut weinend davon.

Als sie zu ihrem Bruder Abschalom kam, fragte er sie: »Hat Amnon dir etwas angetan? Sprich nicht darüber, er ist schließlich dein Bruder! Nimm es nicht zu schwer.«

So blieb Tamar im Haus ihres Bruders Abschalom und lebte dort einsam, von jedem weiteren Umgang ausgeschlossen.

Als König David erfuhr, was geschehen war, wurde er sehr zornig. Aber er bestrafte Amnon nicht, denn er liebte ihn, weil er sein erstgeborener Sohn war. Abschalom aber sprach kein Wort mehr mit Amnon; so sehr hasste er ihn, weil er seine Schwester Tamar vergewaltigt hatte.

Zwei Jahre später hielt Abschalom Schafschur in Baal-Hazor in der Nähe der Stadt Efraïm und lud dazu alle Königssöhne ein. Er ging zu König David und sagte: »Mein Herr und König, bei mir ist gerade Schafschur. Darf ich den König und seine engsten Vertrauten einladen, sie mit mir zu feiern?«

»Aber nein, mein Sohn«, erwiderte der König. »Es wären zu viele, wenn wir alle kämen. Wir wollen dir nicht zur Last fallen.«

Abschalom wiederholte seine Bitte und drängte den König, aber der ließ sich nicht umstimmen und entließ ihn mit einem Segenswunsch. Doch Abschalom blieb hartnäckig.

»Kann nicht wenigstens mein Bruder Amnon mitkommen?«, sagte er.

»Warum denn?«, fragte der König.

Aber Abschalom gab keine Ruhe, bis David schließlich Amnon und alle seine anderen Söhne mit ihm ziehen ließ.

Abschalom bewirtete seine Gäste wie ein König. Seinen Leuten befahl er: »Seid bereit! Wenn der Wein bei Amnon zu wirken beginnt und ich euch sage: ›Erschlagt Amnon!‹, dann tötet ihn! Habt keine Angst; ich übernehme die Verantwortung. Seid nur mutig; zeigt, dass ihr tapfere Männer seid!«

Die Leute Abschaloms gehorchten seinem Befehl und töteten Amnon. Die übrigen Söhne Davids sprangen alle auf, bestiegen ihre Maultiere und flohen.

Das Komplott der alten Männer
Susanna im Bade

Eine juristisch fast wasserdichte Intrige war es, der Susanna beinahe zum Opfer gefallen wäre. Zwei alte Männer, geachtete und angesehene Bürger ihrer Stadt, begehrten die junge und schöne Frau. Sie wies die beiden zurück, doch die drohten ihr, Vorwürfe gegen sie zu erheben, die mit der Todesstrafe geahndet wurden. Susanna ließ sich nicht erpressen. Und so machten die beiden ihre Drohung wahr und verklagten sie.
Nach damaligem Recht galt die Aussage »aus zweier Zeugen Mund« als unhinterfragbar – und war erst recht unumstößlich, wenn die zwei Zeugen angesehene Männer waren und gegen eine Frau aussagten, die bei Gericht als Zeugin gar nicht zugelassen war.
Wer sollte Susannas Partei ergreifen? Ihre Lage war aussichtslos, ihr Tod so gut wie sicher. Doch dann greift Gott, der Anwalt der Rechtlosen und Unterdrückten, ein und lässt Susanna nicht im Stich! Ein antikes Gerichtsdrama entwickelt sich ... (Zusätze zu Daniel B)

In Babylon lebte ein Jude mit Namen Jojakim, der hatte eine junge Frau, die Susanna hieß, eine Tochter Hilkijas. Susanna war sehr schön und hielt treu zum Herrn. Ihre Eltern waren fromme Juden und hatten ihre Tochter stets dazu angehalten, das Gesetz Moses genau zu befolgen.

Jojakim war sehr reich und hatte einen großen Garten bei seinem Haus. Weil er der angesehenste unter den Juden der Stadt war, trafen sich in seinem Haus die Männer der jüdischen Gemeinde.

Nun waren damals zwei Älteste aus dem Volk zu Richtern bestellt worden – Männer, denen es nur zum Schein um das Wohl des Volkes zu tun war. Auf sie bezog sich das Wort des Herrn: »Unrecht wird ausgehen von Babylon, von den Ältesten und Richtern.« Sie waren täglich im Haus Jojakims und jeder, der einen Rechtsfall hatte, suchte sie dort auf.

Um die Mittagszeit, wenn die Besucher weggegangen waren, machte Susanna regelmäßig einen Spaziergang im Garten ihres Mannes. Täglich sahen die beiden Ältesten sie dort umhergehen und sie wurden von Leidenschaft zu ihr ergriffen. Sie gerieten mit ihren Gedanken auf Abwege und richteten ihren Blick nicht mehr zum Himmel empor, damit sie nicht an Gottes gerechtes Gericht erinnert würden. Alle beide wurden von Sehnsucht nach ihr verzehrt; aber keiner ließ den anderen etwas merken. Sie schämten sich, einander zu bekennen, dass sie vom Verlangen nach ihr gepeinigt wurden. Täglich brannten sie darauf, sie zu sehen.

Eines Mittags sagte der eine zum anderen: »Gehen wir nach Hause, es ist Essenszeit!«

Sie verließen das Haus und trennten sich. Aber nachdem sie ein Stück weit gegangen waren, kehrten sie beide um und trafen vor dem Haus wieder zusammen. Sie fragten einander nach dem Grund und da gestand jeder dem **123** anderen seine Leidenschaft. Sie beschlossen, gemeinsam vorzugehen, und verabredeten sich für einen Zeitpunkt, zu dem sie Susanna allein antreffen konnten.

Am verabredeten Tag legten sie sich auf die Lauer und sahen Susanna, wie es ihre Gewohnheit war, in Begleitung von nur zwei Mädchen den Garten betreten. Weil es heiß war, wollte sie dort ein Bad nehmen. Im Garten war sonst niemand außer den beiden Ältesten, die sich versteckt hielten und auf ihre Gelegenheit warteten.

Susanna schickte die beiden Mädchen mit dem Auftrag weg: »Holt mir Öl und Salbe und schließt das Gartentor ab, damit ich ungestört baden kann!«

Die Mädchen entfernten sich, schlossen das Tor und gingen durch die Seitentür zum Haus, um das Gewünschte zu holen. Von den Ältesten in ihrem Versteck hatten sie nichts bemerkt.

Als die Mädchen fort waren, kamen die beiden Ältesten hervor, liefen zu Susanna und sagten: »Die Tore sind verschlossen, niemand sieht uns. Wir brennen in Liebe zu dir, sei uns zu Willen und gib dich uns hin! Wenn du dich sträubst, werden wir dich anklagen und sagen: »Ein junger Mann war bei ihr, deshalb hat sie die Mädchen weggeschickt.«

Susanna stöhnte verzweifelt auf und sagte: »Es gibt keinen Ausweg für mich! Wenn ich tue, was ihr verlangt, bin ich als Ehebrecherin dem Tod verfallen; und wenn ich mich weigere, bin ich in eurer Hand und muss genauso sterben. Aber ich will lieber durch euch den Tod erleiden als vor

dem Herrn schuldig werden.«

Susanna begann laut zu rufen und gleichzeitig erhoben die beiden Ältesten ein Zetergeschrei gegen sie. Der eine lief zum Gartentor und öffnete es.

Als die Diener im Haus das Geschrei hörten, eilten sie durch die Seitentür herbei, um zu sehen, was vorgefallen war. Die Ältesten brachten ihre Beschuldigung vor. Die Diener schämten sich für Susanna, denn sie war bisher völlig unbescholten gewesen.

Als die jüdischen Männer am nächsten Tag wieder bei Jojakim zusammenkamen, waren auch die beiden Ältesten da. Ihr finsterer Entschluss stand fest: Sie wollten Susanna dem Tod ausliefern. Vor den versammelten Männern sagten sie: »Lasst Susanna holen, die Tochter Hilkijas und Frau Jojakims!«

Sie kam, begleitet von ihren Eltern und Kindern und allen ihren Angehörigen. Susanna hatte eine bezaubernde Gestalt. Sie trug jedoch einen Schleier. Die beiden Bösewichte gaben Befehl, ihr den Schleier abzunehmen; denn sie wollten sich an ihrer Schönheit weiden. Ihre Angehörigen begannen zu weinen und auch alle anderen, die es mit ansehen mussten, weinten.

Nun standen die beiden Ältesten auf und legten die Hände auf Susannas Kopf. Sie aber blickte weinend zum Himmel auf, denn sie vertraute fest auf die Hilfe des Herrn.

Die beiden sagten: »Als wir allein im Garten spazieren gingen, kam diese Frau mit zwei Dienerinnen herein, verschloss das Gartentor und schickte die Dienerinnen weg. Ein junger Mann, der sich dort versteckt gehalten hatte, **125** kam hervor und legte sich zu ihr. Wir waren gerade in der hintersten Ecke des Gartens, als diese Schandtat geschah, und sofort liefen wir hin. Wir fanden die beiden eng umschlungen beieinander liegen. Den jungen Mann konnten wir nicht festhalten, denn er war stärker als wir; er öffnete das Gartentor und entkam. Aber diese da packten wir und fragten sie nach seinem Namen. Sie wollte ihn uns aber nicht verraten. Dies alles können wir bezeugen.«

Die versammelten Männer glaubten den beiden, da sie ja Älteste des Volkes und Richter waren, und Susanna wurde zum Tod verurteilt. Susanna aber rief laut: »Ewiger Gott, du siehst in das Verborgene; alles ist dir bekannt, noch bevor es geschieht! Du weißt, dass ich zu Unrecht beschuldigt werde. Ich muss sterben, obwohl ich nichts von dem getan habe, was die beiden böswillig gegen mich vorgebracht haben.«

Der Herr hörte Susannas Hilferuf. Als sie zur Hinrichtung abgeführt wurde, brachte der Geist Gottes einen noch ganz jungen Mann namens Daniel dazu, dass er laut protestierte. Er rief: »Ich will nichts damit zu tun haben, wenn diese Frau unschuldig getötet wird!«

Alle wandten sich ihm zu und fragten: »Was hat das zu bedeuten? Was willst du damit sagen?«

Daniel trat vor und sagte: »Habt ihr den Verstand verloren, Männer von Israel? Ohne Verhör und ohne Beweis verurteilt ihr eine israelitische Frau! Nehmt sofort die Gerichtsverhandlung wieder auf! Die beiden haben eine falsche Beschuldigung erhoben.«

Sofort kehrten sie alle um. Im Haus Jojakims sagten die Ältesten des Volkes zu Daniel: »Setz dich hierher zu uns und sag, was du weißt! Du bist noch so jung, aber Gott hat dir die Weisheit des Alters geschenkt!«

Daniel sagte: »Trennt die beiden weit voneinander, damit sie sich nicht verständigen können! Ich will sie verhören.« Dann rief er den einen und sagte zu ihm: »Nicht in Ehren, sondern in Schande bist du grau geworden! Aber jetzt trifft dich die Strafe für alle Sünden, die du begangen hast. Als Richter hast du das Recht gebeugt: Unschuldige hast du verurteilt und Verbrecher hast du laufen lassen. Und der Herr hat doch gesagt: ›Einen Unschuldigen sollst du nicht töten!‹ Nun, wenn du diese Frau beim Ehebruch ertappt hast, dann sag mir doch: Unter was für einem Baum lag sie mit dem fremden Mann?«

»Unter einer Buche«, antwortete er.

Daniel erwiderte: »Unter einer Buche? Dass Gott dich verfluche! Diese Lüge kostet dich Kopf und Kragen! Der Engel Gottes hat schon Befehl erhalten, dich in Stücke zu hauen.« Daniel ließ ihn abführen und den anderen herbeibringen. Zu ihm sagte er: »Du Nachfahre von Kanaan und nicht von Juda! Frauenschönheit hat dich verführt, Liebestollheit hat dir den Verstand geraubt! Frauen aus dem Nordreich Israel könnt ihr so erpressen, sie werden euch aus lauter Angst zu Willen sein. Aber eine Frau aus Juda lässt sich das nicht gefallen. Sag mir doch: Unter was für einem Baum hast du sie mit dem fremden Mann ertappt?«

»Unter einer Fichte«, antwortete er.

127

Daniel erwiderte: »Unter einer Fichte? Dass Gott dich vernichte! Diese Lüge kostet dich den Hals. Der Engel Gottes wartet schon mit dem Schwert, um dich mittendurch zu spalten. Er wird mit euch beiden kurzen Prozess machen!« Da priesen alle Versammelten mit lauter Stimme Gott, der die Bedrängten rettet, die ihm vertrauen. Darauf nahmen sie sich die beiden Ältesten vor, die Daniel durch ihre eigene Aussage überführt hatte. Weil sie sich als lügenhafte Ankläger erwiesen hatten, wurde über sie dieselbe Strafe verhängt, die sie der fälschlich angeklagten Susanna zugedacht hatten. Nach der entsprechenden Vorschrift im Gesetz Moses wurden sie beide hingerichtet.

So wurde die unschuldige Susanna an jenem Tag vom Tod gerettet. Ihr Vater Hilkija, ihre Mutter, ihr Mann Jojakim und alle ihre Angehörigen priesen Gott, weil Susanna von jedem Vorwurf reingewaschen worden war. Daniel aber war seit jenem Tag bei seinem Volk hoch angesehen und sein Ansehen wuchs auch weiterhin.

Liebe und Politik

Liebe ist Privatsache – aber nur so lange, wie die Lieben-den keine »öffentlichen Personen« sind oder das Inter-esse der Mächtigen auf sich ziehen. Dass die Verbindung von Liebe und Politik tragisch, aber auch positiv ausgehen kann, erzählen etliche biblische Geschichten.

Liebe macht blind
Simson und Delila

Alle Geheimdienste der Welt bedienen sich der Liebe und Leidenschaft, um an Informationen über den Gegner zu kommen. Sie setzen auf einsame Sekretärinnen und alternde Minister attraktive Menschen an, die erst ihre Liebe gewinnen, um dann ihr Vertrauen zu missbrauchen. Diese Taktik gab es auch schon in den Zeiten des Alten Testaments.

Um das Jahr 1100 v. Chr. waren die Israeliten immer wie-der in Kämpfe mit den Philistern verwickelt. Simson führte das Heer der Israeliten an, seine Stärke und seine Kampfkraft waren Legende. Seine Feinde fürchteten, seine Freunde liebten ihn. Dass hinter seiner großen Kraft ein spezielles Geheimnis steckte, wurde allgemein vermutet, **129** doch Simson war klug genug, dies niemandem zu offenbaren.

Doch Liebe macht bekanntlich auch Helden blind. Die Frau, die Simsons Herz brach, hieß Delila, war schön und begehrenswert. Und sie war bestechlich: Die Summe, die die Philister ihr anboten, wenn sie das Geheimnis Simsons herausfinden würde, war sehr hoch, und die wollte sie sich gerne verdienen. Mehrere Anläufe musste sie unternehmen, um Simsons Geheimnis zu erfahren. Sie musste locken und weinen, drohen und schmollen, bis Simson sich genötigt sah, ihr seine Liebe zu beweisen und ihr das Geheimnis anzuvertrauen.

Delila lieferte ihn ungeniert ans Messer. Er bezahlte seine Vertrauensseligkeit mit dem Leben. Doch noch im Sterben erwies er sich als starker Kämpfer! (Richter 16,4-31)

Nach einiger Zeit verliebte sich Simson in eine Philisterin namens Delila aus dem Tal Sorek. Da kamen die Fürsten der Philister zu ihr und sagten: »Überliste ihn durch deine Verführungskunst! Sieh zu, dass du herausbringst, woher er seine Kraft hat und was wir tun müssen, um ihn in unsere Gewalt zu bringen und zu fesseln. Du bekommst dafür von jedem von uns 1100 Silberstücke!«

Bei nächster Gelegenheit sagte Delila zu Simson: »Sag mir doch, warum du so stark bist! Gibt es etwas, womit man dich fesseln und bezwingen kann?«

Simson antwortete: »Wenn man mich mit sieben frischen Bogensehnen fesselt, die noch nicht trocken sind, verliere ich meine Kraft und bin nicht stärker als irgendein anderer Mensch.«

Die Philisterkönige gaben Delila sieben frische Bogensehnen und sie fesselte ihn damit. Einige Männer lagen bei ihr auf der Lauer.

Aber als Delila rief: »Simson, die Philister!«, zerriss er die Sehnen wie Zwirnfäden, die dem Feuer zu nahe gekommen sind. Simson hatte nicht preisgegeben, woher seine Kraft kam.

Da sagte Delila: »Du hast mich zum Narren gehalten und mir Lügen erzählt. Sag mir ehrlich, womit man dich fesseln kann!«

Simson antwortete: »Wenn man mich mit Stricken fesselt, die noch nie benutzt worden sind, verliere ich meine Kraft und bin nicht stärker als irgendein anderer Mensch.«

Delila nahm neue Stricke und fesselte ihn damit. Wieder lagen einige Männer bei ihr auf der Lauer. Doch als sie rief: »Simson, die Philister!«, riss er die Stricke von den Armen, als wären es Fäden.

Da sagte Delila: »Bis jetzt hast du mich zum Narren gehalten und mir Lügen erzählt. Sag mir doch endlich, womit man dich fesseln kann!«

Er antwortete: »Wenn du meine sieben Zöpfe in das Gewebe auf deinem Webstuhl verwebst!«

Delila machte das und schlug seine Zöpfe mit dem Weberkamm fest. Dann rief sie: »Simson, die Philister!« Da fuhr er aus dem Schlaf hoch und riss das ganze Gewebe samt dem Weberbaum heraus.

131

Darauf sagte Delila: »Wie kannst du behaupten, mich zu lieben, wenn du mir kein Vertrauen schenkst? Dreimal hast du mich zum Narren gehalten und mir nicht verraten, woher deine große Kraft kommt!«

Täglich setzte sie ihm mit ihren Vorwürfen zu und quälte ihn so, dass ihm das ganze Leben verleidet war. Da verriet er ihr sein Geheimnis und erzählte ihr: »Noch nie in meinem Leben sind mir die Haare geschnitten worden. Seit meiner Geburt bin ich dem HERRN geweiht. Wenn man mir die Haare abschneidet, verliere ich meine Kraft und bin nicht stärker als irgendein anderer Mensch.«

Delila merkte, dass er ihr diesmal die Wahrheit gesagt hatte. Sie ließ den Philisterfürsten ausrichten: »Diesmal müsst ihr selbst kommen! Er hat mir alles verraten.«

Die Fürsten kamen und brachten das versprochene Geld mit. Delila ließ Simson in ihrem Schoß einschlafen und rief einen von den Philistern, damit er ihm die sieben Haarzöpfe abschnitt. So hatte sie endlich erreicht, dass seine Kraft ihn verließ. Dann rief sie: »Simson, die Philister!«

Simson fuhr aus dem Schlaf hoch und dachte: »Ich schaffe das genauso wie bisher! Ich werde alle Fesseln abschütteln.« Er wusste nicht, dass der HERR ihn verlassen hatte.

Die Philister überwältigten ihn, stachen ihm die Augen aus und brachten ihn ins Gefängnis nach Gaza. Sie legten ihm bronzene Ketten an und er musste im Gefängnis die Mühle drehen.

Aber sein Haar, das sie ihm geschnitten hatten, begann wieder zu wachsen.

Nach einiger Zeit kamen die Fürsten der Philister zusammen, um ein großes Opfer- und Freudenfest zu Ehren ihres Gottes Dagon zu feiern. Sie sagten zueinander: »Unser Gott gab unseren Feind in unsere Hand!«

Als das Volk Simson sah, priesen sie ihren Gott und sangen:
»Unser Gott gab unsern Feind in unsre Hand,
der zur Wüste machte unser schönes Land,
unsre besten Männer streckte in den Sand!«

Als sie so richtig in Stimmung waren, riefen die Fürsten: »Bringt Simson her! Wir wollen unseren Spaß mit ihm haben.«

Man brachte Simson aus dem Gefängnis und sie trieben ihren Spott mit ihm. Sie hatten ihn zwischen die Säulen gestellt. Da bat Simson den Jungen, der ihn führte: »Lass meine Hand einen Augenblick los! Ich möchte die Säulen befühlen, die das Haus tragen, und mich ein wenig daran anlehnen.«

Das Haus war gedrängt voll von Männern und Frauen, die zusahen, wie Simson verspottet wurde. Auf dem flachen Dach allein saßen etwa 3000 Menschen. Auch alle Fürsten der Philister waren da. Da rief Simson zum HERRN und sagte: »HERR, du mächtiger Gott! Höre mich und gib mir nur noch einmal meine alte Kraft! Ich will mich an den Philistern rächen – wenigstens für eines von den beiden Augen, die sie mir ausgestochen haben.«

Dann tastete er nach den beiden Mittelsäulen, die das Gebäude trugen, und stemmte sich gegen sie, gegen die eine mit der rechten, gegen die andere mit der linken Hand. Er **133** rief: »Euch Philister nehme ich mit in den Tod!«, nahm alle Kraft zusammen und stieß die Säulen um. Da stürzte das ganze Haus über den Philistern und ihren Fürsten zusammen. So riss Simson mehr Philister mit sich in den Tod, als er während seines ganzen Lebens umgebracht hatte.

Seine Brüder und alle Männer im Haus seines Vaters kamen und holten seinen Leichnam. Sie bestatteten ihn zwischen Zora und Eschtaol im Grab seines Vaters Manoach. Zwanzig Jahre lang war Simson der Richter Israels gewesen.

Lebensrettende Diplomatie
Ester und Xerxes

Antijudaismus, Verfolgung und Pogrome – dies mussten die Juden ertragen, seit sie aus ihrem Land heraus in viele Regionen der Welt verstreut worden waren. Denn sie hielten auch dort an ihrem Glauben fest. Sie fielen dadurch auf, waren anders als die anderen und blieben fremd. Folglich war es leicht, sie zu Sündenböcken zu machen. Wann immer ein Politiker von eigenen Fehlern ablenken wollte, mussten die Juden herhalten.

Das Buch Ester berichtet davon, wie ein solches Komplott gegen die Juden geschmiedet wurde und wie es gelang, die Umsetzung im letzten Augenblick zu verhindern. Die junge Königin Ester machte dies durch ihren Charme, durch diplomatisches Geschick und eine große Portion

Gottvertrauen möglich. Sie nutzte die Gunst des Königs Xerxes, für den sie offensichtlich mehr als eine beliebige Frau seines Harems war.

Die Geschichte von Ester und Xerxes spielt ungefähr 485–465 v.Chr. in Persien. Aufgeschrieben wurde sie, um Juden in ähnlichen Bedrohungen Mut zu machen, trotz allem Gott die Treue zu halten und auf seinen Beistand zu hoffen. Bis heute erinnern sich die jüdischen Gemeinden im Purimfest an Esters Mut und Gottes Bewahrung. (Ester 1–8)

Es war in der Zeit, als König Xerxes über das Perserreich herrschte, ein Reich aus 127 Provinzen, das von Indien bis Äthiopien reichte; sein Königsthron stand in der Stadt Susa.

In seinem dritten Regierungsjahr gab er ein Fest für alle führenden Männer des gesamten Reiches. Die hochrangigen Offiziere aus Persien und Medien, der hohe Adel und die Statthalter aller Provinzen nahmen daran teil. Volle sechs Monate stellte der König seine Macht und seinen unermesslichen Reichtum vor ihnen zur Schau.

Anschließend veranstaltete der König ein Fest für alle Bewohner des Palastbezirks, vom vornehmsten bis zum geringsten. Sieben Tage lang wurde im Schlosspark gefeiert. Zwischen Alabastersäulen waren weiße und blaue Vorhänge aus kostbaren Stoffen aufgehängt, befestigt mit weißen und purpurroten Schnüren und silbernen Ringen. Polsterbetten mit goldenen und silbernen Füßen standen **135** auf dem kostbaren Fußboden aus verschiedenfarbigen Steinplatten. Getrunken wurde aus goldenen Bechern, von denen keiner dem andern glich; Wein gab es in Fülle aus den königlichen Kellern. Alle konnten trinken, so viel sie wollten; aber niemand wurde dazu gezwungen. Der König hatte die Diener angewiesen, sich ganz nach den Wünschen der Gäste zu richten.

Königin Waschti veranstaltete gleichzeitig im Palast des Königs ein Fest für die Frauen. Am siebten Tag des Festes rief König Xerxes die sieben Eunuchen zu sich, die ihn persönlich bedienten: Mehuman, Biseta, Harbona, Bigta, Abagta, Setar und Karkas. In seiner Weinlaune befahl er ihnen, die Königin im Schmuck ihrer Krone herzubringen. Alle seine Gäste, die führenden Männer seines Reiches ebenso wie die Bewohner des Palastbezirks, sollten ihre außerordentliche Schönheit bewundern.

Aber Königin Waschti weigerte sich, dem Befehl des Königs zu gehorchen. Da packte den König der Zorn. Sofort besprach er sich mit seinen Ratgebern, weisen Männern, die sich auf den Lauf der Gestirne verstanden und über das Recht Bescheid wussten. Es waren Karschena, Schetar, Admata, Tarschisch, Meres, Marsena und Memuchan. Diese sieben Fürsten der Perser und Meder hatten den höchsten Rang nach dem König. Sie waren seine engsten Vertrauten und durften jederzeit bei ihm vorsprechen. Er sagte zu ihnen: »Ich habe meine Diener mit einem Befehl zur Königin Waschti gesandt, aber sie hat ihn nicht befolgt. Was soll nach dem Gesetz mit ihr geschehen?«

Memuchan antwortete: »Königin Waschti hat sich nicht nur am König vergangen, sondern auch an seinen Fürsten, ja am ganzen Volk in allen Provinzen des Reiches. Was sie getan hat, wird sich unter allen Frauen herumsprechen. Sie werden auf ihre Männer herabsehen und sagen: ›König Xerxes befal der Königin Waschti, vor ihm zu erscheinen; aber sie weigerte sich.‹ Die Frauen der Fürsten im Reich haben es gehört und sie werden sich schon heute ihren Männern gegenüber darauf berufen. Das wird eine Menge böses Blut geben. Wenn der König es für richtig hält, sollte er einen königlichen Befehl erlassen, dass Waschti nie wieder vor ihm erscheinen darf. Dies müsste unter die Gesetze der Meder und Perser aufgenommen werden, die unwiderruflich sind. Und dann sollte der König an ihrer Stelle eine andere zur Königin machen, die diese Würde auch verdient. Wenn dieser Beschluss des Königs in seinem ganzen Reich bekannt wird, werden alle Frauen, von den vornehmsten bis zu den einfachsten Familien, ihren Männern den schuldigen Respekt erweisen.«

Dem König und seinen Fürsten gefiel dieser Rat gut. Wie Memuchan vorgeschlagen hatte, schickte der König einen Erlass in alle Provinzen seines Reiches, jeweils in der Schrift und Sprache des betreffenden Landes. Auf diese Weise wollte er sicherstellen, dass jeder Mann in seinem Haus der Herr bleibt.

Als der Zorn des Königs sich gelegt hatte, begann er, über das Geschehene nachzudenken. Seine Diener bemerkten **137** es und sagten zu ihm: »Man sollte für den König schöne junge Mädchen suchen, die noch kein Mann berührt hat! Der König könnte in den Provinzen seines Reiches Beamte damit beauftragen, alle besonders schönen Mädchen, die noch unberührt sind, in seinen Harem nach Susa zu bringen. Der königliche Eunuch Hegai, der die Aufsicht im Frauenhaus führt, soll sich um sie kümmern und dafür sorgen, dass ihre Schönheit mit allen Mitteln gepflegt wird. Das Mädchen, das dem König am besten gefällt, soll dann an Waschtis Stelle Königin werden.«

Dem König gefiel dieser Vorschlag und er gab die entsprechenden Anordnungen.

Im Palastbezirk von Susa lebte ein Jude namens Mordechai, der Sohn Jaïrs. Er war vom Stamm Benjamin und ein Nachkomme von Schimi und Kisch. Als der Babylonierkönig Nebukadnezzar eine Anzahl von Judäern mit König Jojachin aus Jerusalem in die Verbannung geführt hatte, war auch die Familie von Mordechai unter den Verschleppten gewesen.

Mordechai hatte eine Kusine Hadassa, auch Ester genannt. Sie war außerordentlich schön. Weil sie Vater und Mutter verloren hatte, hatte Mordechai sie als Tochter angenommen.

Als der königliche Erlass bekannt gemacht war und die Mädchen nach Susa in die Obhut von Hegai gebracht wurden, da war unter ihnen auch Ester. Sie wurde in den königlichen Harem gebracht und dem Eunuchen Hegai übergeben. Sie fiel ihm auf und gewann seine Gunst. Er sorgte dafür, dass sofort mit der Pflege ihrer Schönheit begonnen und sie aufs beste ernährt wurde. Er gab ihr die schönsten Räume im Harem und sieben ausgewählte Dienerinnen aus dem Königspalast.

Nach der Weisung von Mordechai hatte Ester nichts über ihre jüdische Herkunft gesagt. Mordechai ging täglich vor dem Hof des Harems auf und ab, um zu hören, wie es Ester erging und was mit ihr geschah.

Jedes Mädchen wurde ein Jahr lang auf die Begegnung mit dem König vorbereitet. Sechs Monate dauerte die vorgeschriebene Behandlung mit Myrrhenöl und weitere sechs die mit Balsamöl und anderen Pflegemitteln. Dann konnte das Mädchen zum König gebracht werden. Wenn eine an der Reihe war, vom Frauenhaus in den Königspalast zu gehen, durfte sie sich Kleider und Schmuck für diese Gelegenheit selbst aussuchen. Sie ging am Abend in den Palast und kehrte am nächsten Morgen in den zweiten Harem zurück. Dieser war für die Nebenfrauen des Königs bestimmt und stand unter der Aufsicht des königlichen Eunuchen Schaaschgas. Keine durfte ein zweites Mal zum König kommen, außer wenn sie ihm besonders gefallen hatte und er sie namentlich rufen ließ.

Eines Tages kam die Reihe auch an Ester, die Tochter von Abihajil, dem Onkel jenes Mordechai, der sie nach dem Tod ihres Vaters als Tochter angenommen hatte. Sie verzichtete darauf, Kleidung und Schmuck selbst auszusuchen, und nahm nur, was Hegai ihr empfohlen hatte. Alle, die sie sahen, waren voller Bewunderung.

139

So wurde Ester zum König in den Palast gebracht, im zehnten Monat seines siebten Regierungsjahres, dem Monat Tebet. Der König fand an Ester mehr Gefallen als an allen andern Frauen und sie übertraf in seinen Augen bei weitem die anderen Mädchen. Deshalb setzte er ihr die Krone auf und machte sie an Waschtis Stelle zur Königin. Er gab ihr zu Ehren ein großes Festmahl und lud alle führenden Männer seines Reiches dazu ein. Er gewährte den Provinzen seines Reiches einen Steuernachlass und verteilte königliche Geschenke.

Inzwischen wurden zum zweiten Mal Mädchen für den König gesammelt. Ester hatte dem König immer noch nichts von ihrer jüdischen Herkunft und Volkszugehörigkeit gesagt. So hatte Mordechai es ihr befohlen und sie folgte ihm noch genauso wie damals, als sie seine Pflegetochter war. Mordechai stand inzwischen in königlichen Diensten und saß in der Torhalle des Palastbezirks.

Gerade damals nun machten Bigtan und Teresch, zwei königliche Eunuchen, die die Torwache befehligten, eine Verschwörung. Sie waren unzufrieden mit dem König und beschlossen, ihn umzubringen. Mordechai, der ja ebenfalls dort im Tor war, erfuhr davon und sagte es Königin Ester, die es in seinem Auftrag sofort dem König meldete. Die Sache wurde untersucht, die Verschwörung aufgedeckt und die beiden Schuldigen wurden an den Galgen gehängt. Der König ließ den Vorfall in die amtliche Chronik eintragen.

Einige Zeit später erhob König Xerxes Haman, den Sohn von Hammedata, einen Nachkommen von Agag, zu sei-

nem ersten Minister. Alle königlichen Beamten in der Torhalle des Palastbezirks knieten vor Haman nieder und
beugten sich tief vor ihm, wie der König es befohlen hatte.
Mordechai aber blieb stehen und verbeugte sich nicht.

Die Leute des Königs fragten ihn: »Warum gehorchst du
nicht dem Befehl des Königs?«

»Weil ich Jude bin«, sagte er.

Tag für Tag setzten sie ihm zu, Haman diese Ehre zu erweisen; aber Mordechai hörte nicht darauf. Da gingen sie hin
und zeigten ihn bei Haman an, denn sie wollten sehen, was
er zu Mordechais Begründung sagen würde.

Haman war wütend, als man ihn darauf hinwies, dass Mordechai sich nicht vor ihm niederwarf. Aber es war ihm zu
wenig, nur ihn selbst zu bestrafen, und da sie ihm gesagt
hatten, dass Mordechai zum jüdischen Volk gehörte, beschloss er, alle Juden im Persischen Reich, das ganze Volk
von Mordechai, auszurotten.

Im ersten Monat des zwölften Regierungsjahres des Königs
Xerxes, dem Monat Nisan, wurde auf Anordnung Hamans
für alle Tage des Jahres bis hinein in den zwölften Monat,
den Monat Adar, das Pur – das ist das Los – geworfen. Auf
diese Weise wollte Haman den günstigsten Zeitpunkt für
sein Unternehmen herausfinden. Danach sagte er zum
König: »Es gibt ein Volk in deinem Reich, das über alle Provinzen zerstreut lebt und sich von den anderen Völkern
absondert. Seine Bräuche sind anders als die aller anderen
Völker und die königlichen Gesetze befolgt es nicht. Das
kann sich der König nicht bieten lassen. Wenn der König **141**

einverstanden ist, soll der Befehl erlassen werden, sie zu töten. Ich werde dann in der Lage sein, den Verwaltern der Staatskasse 10 000 Zentner Silber auszuhändigen.«

Der König zog seinen Siegelring vom Finger, gab ihn dem Judenfeind Haman und sagte zu ihm: »Ihr Silber überlasse ich dir! Und mit ihnen selbst kannst du machen, was du willst!«

Am 13. Tag des 1. Monats ließ Haman die Schreiber des Königs zusammenrufen und diktierte ihnen einen Erlass an die Reichsfürsten, an die Statthalter der Provinzen und an die Fürsten der einzelnen Völker, jeweils in der Schrift und Sprache des betreffenden Landes. Der Erlass war als Schreiben des Königs abgefasst und mit dessen Siegelring gesiegelt. Er wurde durch Kuriere in alle Provinzen des Reiches gebracht und enthielt den Befehl:

»Alle Juden – Männer, Frauen und Kinder – sollen an einem einzigen Tag, dem 13. Tag des 12. Monats, des Monats Adar, erschlagen, ermordet, ausgerottet werden. Ihr Besitz ist zur Plünderung freigegeben.«

In jeder Provinz sollte der Erlass öffentlich bekannt gemacht werden, sodass sich alle für diesen Tag rüsten konnten.

Auf Anordnung des Königs machten sich die Kuriere eiligst auf den Weg. Auch im Palastbezirk von Susa wurde der Erlass bekannt gemacht. Darauf ließen sich der König und Haman zu einem Trinkgelage nieder. Die ganze Stadt aber geriet in große Aufregung.

Als Mordechai erfuhr, was vorgefallen war, zerriss er sein

Gewand, band sich den Sack um und streute sich Asche

auf den Kopf. So ging er durch die Stadt und stieß laute, durchdringende Klagerufe aus. Er kam bis vor den Palastbezirk, den er jedoch im Trauerschurz nicht betreten durfte.

Auch in allen Provinzen herrschte unter den Juden große Trauer, nachdem der königliche Erlass dort eingetroffen war. Sie fasteten, weinten und klagten und viele saßen im Sack in der Asche.

Die Dienerinnen und Diener Esters berichteten ihrer Herrin von Mordechais Trauer. Ester war ganz erschrocken und ließ Mordechai Kleider bringen, damit er den Sack ablegen und zu ihr in den Palast kommen konnte. Aber er wollte ihn nicht ausziehen.

Da schickte Ester den Eunuchen Hatach, den der König ihr als Diener gegeben hatte, zu Mordechai hinaus. Er sollte ihr berichten, warum Mordechai sich so auffallend verhielt. Hatach ging zu Mordechai auf den großen Platz vor dem Palastbezirk. Mordechai erzählte ihm alles, was geschehen war, und nannte ihm auch die Geldsumme, die Haman dem König für seine Staatskasse versprochen hatte, wenn er die Juden umbringen dürfte. Er gab ihm eine Abschrift des königlichen Erlasses, in dem die Ausrottung der Juden befohlen wurde. Er sollte sie Ester zeigen und sie dringend auffordern, zum König zu gehen und für ihr Volk um Gnade zu bitten.

Hatach berichtete Ester alles, was Mordechai ihm aufgetragen hatte. Ester aber schickte den Eunuchen noch einmal zu Mordechai und ließ ihm sagen: »Alle, die im Dienst   **143** des Königs stehen, und alle seine Untertanen in den Provinzen des Reiches kennen das unverbrüchliche Gesetz: Wer ungerufen, ob Mann oder Frau, zum König in den inneren Hof des Palastes geht, muss sterben. Nur wenn der König ihm das goldene Zepter entgegenstreckt, wird er am Leben gelassen. Mich hat der König jetzt schon dreißig Tage nicht mehr zu sich rufen lassen.«

Mordechai schickte Ester die Antwort: »Denk nur nicht, dass du im Königspalast dein Leben retten kannst, wenn alle anderen Juden umgebracht werden! Wenn du in dieser Stunde schweigst, wird den Juden von anderswo her Hilfe und Rettung kommen. Aber du und deine Familie, ihr habt dann euer Leben verwirkt und werdet zugrunde gehen. Wer weiß, ob du nicht genau um dieser Gelegenheit willen zur Königin erhoben worden bist?«

Da ließ Ester Mordechai die Antwort bringen: »Geh und rufe alle Juden in Susa zusammen! Haltet ein Fasten für mich. Drei Tage lang sollt ihr nichts essen und nichts trinken, auch nicht bei Nacht; und ich werde zusammen mit meinen Dienerinnen dasselbe tun. Dann gehe ich zum König, auch wenn es gegen das Gesetz ist. Komme ich um, so komme ich um!«

Mordechai ging und tat, was Ester ihm aufgetragen hatte. Dann am dritten Tag legte Ester die königlichen Gewänder an und ging in den inneren Hof des Palastes, der direkt vor dem Thronsaal liegt. Der König saß gerade auf seinem Thron, der offenen Saaltür gegenüber. Da sah er auf einmal Königin Ester im Hof stehen. Aber sie fand seine Gunst und er streckte ihr das goldene Zepter entgegen, das er in der Hand hielt.

Ester trat heran und berührte die Spitze des Zepters. Der König fragte sie: »Was führt dich her, Königin Ester? Was ist dein Wunsch? Ich gewähre dir alles, bis zur Hälfte meines Königreiches!«

Ester antwortete: »Mein König, wenn es dir recht ist, dann komm doch heute mit Haman zu dem Mahl, das ich für dich vorbereitet habe.«

»Schnell, holt Haman herbei«, rief der König, »damit wir Esters Einladung folgen!«

So kam der König mit Haman zu Esters Mahl. Beim Wein fragte er sie: »Was ist nun dein Wunsch? Ich erfülle ihn dir! Fordere, was du willst, bis zur Hälfte meines Königreiches!«

Ester antwortete: »Ich habe eine große Bitte: Wenn ich deine Gunst, mein König, gefunden habe und wenn du so gnädig bist, mir meinen Wunsch zu erfüllen, dann komm doch auch morgen mit Haman zu dem Mahl, das ich für dich vorbereiten werde. Dann will ich dir meinen Wunsch sagen.«

Haman war in bester Laune, als er von dem Mahl bei der Königin nach Hause ging. Doch im Tor kam er an Mordechai vorbei, der nicht vor ihm aufstand und ihm nicht die geringste Ehrerbietung erwies. Haman wurde von Wut gepackt, aber er ging weiter.

Zu Hause rief er seine Freunde und seine Frau Seresch. Er prahlte vor ihnen mit seinem Reichtum und der großen **145**

Zahl seiner Söhne und strich voll Stolz heraus, wie der König ihn ausgezeichnet und über alle anderen Fürsten und Minister gestellt habe. »Und die Königin Ester«, fuhr er fort, »hat zu dem Mahl, das sie veranstaltet hat, außer dem König nur noch mich eingeladen und auch morgen soll ich zusammen mit dem König bei ihr essen. Aber das alles ist mir vergällt, solange ich den Juden Mordechai im Tor des Palastbezirks sitzen sehe!«

Da rieten ihm seine Frau und seine Freunde: »Lass einen Galgen errichten, zwanzig Meter hoch, und lass dir vom König die Erlaubnis geben, Mordechai daran aufzuhängen. Danach kannst du unbeschwert mit dem König zum festlichen Mahl gehen.«

Haman fand den Vorschlag ausgezeichnet und gab sofort Befehl, den Galgen aufzurichten.

Der König konnte in dieser Nacht nicht schlafen, deshalb ließ er die Chronik bringen, in der die wichtigen Ereignisse seiner Regierungszeit aufgeschrieben waren. Man las dem König daraus vor und kam dabei zu der Stelle, wo berichtet wurde, wie Mordechai die Verschwörung der königlichen Torwächter Bigtan und Teresch aufgedeckt und König Xerxes das Leben gerettet hatte. Der König fragte: »Was für eine Belohnung, was für eine Auszeichnung hat Mordechai dafür erhalten?«

»Keine«, antworteten die Diener des Königs.

»Wer ist da draußen im Hof?«, fragte der König.

Eben in diesem Augenblick war nämlich Haman in den äußeren Hof des Palastes getreten. Er wollte sich vom König die Erlaubnis erbitten, Mordechai an den Galgen zu hängen, den er errichtet hatte.

Die Diener antworteten dem König: »Es ist Haman, der da draußen steht.«

»Ruft ihn herein«, befahl der König.

Als Haman eintrat, fragte der König ihn: »Was kann ein König für jemand tun, dem er eine besondere Ehre erweisen will?«

Haman dachte: »Da kann nur ich gemeint sein; wen sonst sollte der König besonders ehren wollen?« Deshalb antwortete er: »Für den Mann, dem der König eine besondere Ehre erweisen will, soll man ein kostbares Gewand bringen, das sonst der König selbst trägt, und ein Pferd mit dem königlichen Schmuck am Zaumzeug, das sonst der König selbst reitet. Man soll Pferd und Gewand einem der höchsten Würdenträger des Königs übergeben, damit dieser den Mann, den der König ehren will, königlich kleidet und ihn auf dem Pferd des Königs über den großen Platz der Stadt führt. Dabei soll er vor dem zu Ehrenden hergehen und ausrufen: ›So handelt der König an dem Mann, dem er eine besondere Ehre erweisen will!‹«

Da sagte der König zu Haman: »Nimm schnell ein Gewand und ein Pferd, wie du sie beschrieben hast! Ehre den Juden Mordechai, der in der Torhalle des Palastbezirks sitzt, so wie du es vorgeschlagen hast! Du musst alles genauso ausführen und darfst nichts auslassen.«

Haman folgte dem Befehl des Königs, kleidete Mordechai königlich, führte ihn auf dem Pferd des Königs über den **147** großen Platz und rief vor ihm aus: »So handelt der König an dem Mann, dem er eine besondere Ehre erweisen will!«

Danach kehrte Mordechai an seinen Platz im Tor des Palastbezirks zurück. Haman aber eilte völlig verstört, mit verhülltem Gesicht, nach Hause. Dort erzählte er seiner Frau und allen seinen Freunden, was geschehen war. Diese seine klugen Ratgeber sagten zu ihm: »Wenn Mordechai, mit dem dir das passiert ist, zum Volk der Juden zählt, dann kannst du aufgeben. Dein Untergang ist besiegelt.«

Noch während sie das sagten, kamen die Diener des Königs, um Haman zum Mahl bei der Königin abzuholen. Der König und Haman fanden sich dort ein. Beim Wein richtete der König an Ester dieselbe Frage wie am Tag zuvor: »Was ist nun dein Wunsch, Königin Ester? Ich erfülle ihn dir! Fordere, was du willst, bis zur Hälfte meines Königreiches!«

Die Königin antwortete ihm: »Wenn ich deine Gunst, mein König, gefunden habe und du mir eine Bitte erlauben willst, dann flehe ich um mein Leben und um das Leben meines Volkes. Man hat uns verkauft, mich und mein Volk; man will uns töten, morden, ausrotten! Würden wir nur der Freiheit beraubt und als Sklaven verkauft, so hätte ich geschwiegen und den König nicht damit belästigt.«

Da sagte König Xerxes, und er wandte sich dabei an die Königin Ester: »Wer wagt so etwas? Wo ist der Mann, der so schändliche Pläne aushecht?«

Ester antwortete: »Unser Todfeind ist dieser böse Haman
hier!«

Haman blickte entsetzt auf den König und die Königin. Voll Zorn stand der König von der Tafel auf und ging in den Schlosspark hinaus. Haman trat auf Königin Ester zu und flehte um sein Leben. Er spürte, dass der König schon seinen Tod beschlossen hatte.

Als der König wieder in den Saal trat, fand er Haman kniend vor dem Polster, auf dem Ester lag. Empört rief er: »Jetzt tut er sogar der Königin Gewalt an, und das in meinem Palast!«

Kaum war das Wort aus dem Mund des Königs, da verhüllten schon die Diener das Gesicht Hamans. Einer der königlichen Eunuchen, Harbona, sagte: »Da ist doch noch der Galgen, den Haman für Mordechai, den Retter des Königs, errichten ließ! Er steht auf Hamans eigenem Grundstück, er ist zwanzig Meter hoch.«

»Hängt Haman daran auf!«, befahl der König.

So wurde Haman an den Galgen gehängt, den er selbst für Mordechai bestimmt hatte. Darauf legte sich der Zorn des Königs.

Noch am selben Tag schenkte König Xerxes der Königin Ester das Haus und den Besitz des Judenfeindes Haman. Er ließ Mordechai zu sich rufen; denn Ester hatte ihm berichtet, dass er ihr Pflegevater sei. Der König zog seinen Siegelring, den er Haman wieder abgenommen hatte, von der Hand und überreichte ihn Mordechai. Ester machte Mordechai zum Verwalter von Hamans Besitz.

Noch einmal wandte sich Ester an den König. Sie warf sich vor seinem Thron nieder, weinte und flehte ihn an, die Aus-

149

führung des Verbrechens zu verhüten, das Haman, dieser typische Nachfahre Agags, gegen die Juden geplant hatte.

Der König streckte ihr sein goldenes Zepter entgegen, da stand sie auf, trat vor ihn und sagte: »Wenn es dem König recht ist, wenn ich seine Gunst gefunden habe, wenn er mir wohlwill und mein Vorschlag ihm gefällt, dann veranlasse der König, dass der Erlass widerrufen wird, den der Agagsnachkomme Haman, der Sohn von Hammedata, aufgesetzt hat, um die Juden in allen Provinzen des Reiches auszurotten. Ich kann es nicht mit ansehen, wie das Unheil seinen Lauf nimmt und mein eigenes Volk vernichtet wird.«

König Xerxes antwortete Königin Ester und dem Juden Mordechai: »Ich habe Ester den ganzen Besitz Hamans geschenkt und ihn selbst an den Galgen hängen lassen, weil er die Juden vernichten wollte. Aber ein Erlass, der im Namen des Königs abgefasst und mit seinem Siegelring gesiegelt ist, lässt sich nicht zurücknehmen. Ihr könnt jedoch in meinem Namen und unter meinem Siegel eine weitere Verfügung erlassen, um die Juden zu retten. Tut, was ihr für richtig haltet!«

Mordechai ließ die Schreiber des Königs zusammenrufen – es war am 23. Tag des 3. Monats, des Monats Siwan – und diktierte ihnen einen Erlass an die Juden im ganzen Reich sowie an die Reichsfürsten und die Statthalter und obersten Beamten aller 127 Provinzen von Indien bis Äthiopien, jeweils in der Schrift und Sprache des betreffenden Landes und auch für die Juden in ihrer eigenen Schrift und Sprache. Der Erlass war im Namen des Königs abgefasst; er wurde mit dem königlichen Siegel versehen und durch berittene Boten auf den schnellsten Kurierpferden in alle Provinzen geschickt. Er enthielt die Verfügung: »Der König erlaubt den Juden in allen Städten seines Reiches, sich zum Schutz ihres Lebens zusammenzutun und alle zu töten, zu vernichten und auszurotten, die ihnen und ihren Frauen und Kindern Gewalt antun wollen – und zwar überall im Reich, wo das vorkommt, unter allen Völkern und in allen Provinzen. Der Besitz ihrer Feinde wird den Juden zur Plünderung freigegeben. Diese Erlaubnis gilt für ein und denselben Tag in allen Provinzen des Reiches, nämlich den 13. Tag des 12. Monats, des Monats Adar.«

In jeder Provinz sollte dieser Erlass öffentlich bekannt gemacht werden und die Juden sollten sich für diesen Tag rüsten, um sich an ihren Feinden zu rächen.

In höchster Eile und auf den besten königlichen Kurierpferden machten sich die Boten mit der Anordnung des Königs auf den Weg. Auch im Palastbezirk von Susa wurde der königliche Erlass bekannt gemacht. Darauf trat Mordechai aus dem Palastbezirk, gekleidet, wie es seiner hohen Stellung entsprach. Er trug ein Gewand in violetter und weißer Farbe, einen Mantel aus feinem weißem Leinen und purpurrotem Wollstoff und dazu eine große goldene Krone. Die Bewohner von Susa jubelten ihm zu.

Die Juden der Stadt waren von Glück und Freude erfüllt und genossen die Ehre, die ihnen von allen Seiten erwiesen wurde. Auch überall in den Provinzen, in jeder Stadt, in der

151

der Erlass des Königs eintraf, herrschte unter den Juden Freude und Jubel und sie feierten das Ereignis mit Festtagen und fröhlichen Gelagen. Von den Nichtjuden gerieten viele in große Furcht und traten zum Judentum über.

Den Kopf verloren
Herodias und Johannes der Täufer

In den Mühlen der Politik kam Johannes der Täufer um. Dabei spielte eine Frau eine tödliche Rolle: aus gekränkter Eitelkeit und politischem Kalkül.

Johannes, der Jesus getauft hatte, war ein unerschrockener Gottesmann. Er sagte jedem auf den Kopf zu, was an seinem Verhalten nicht in Ordnung war. Und er scheute auch nicht davor zurück, dem König die Meinung zu sagen. So kritisierte er öffentlich, dass König Herodes mit Herodias, der Frau seines Halbbruders, zusammenlebte. Sie hatte ihren Mann verlassen und Herodes dazu gebracht, seine erste Frau zu verstoßen. Ihr Motiv war dabei keineswegs die große Liebe zu Herodes, sondern blanker politischer Ehrgeiz.

Der König wertete die Kritik des Täufers als Majestätsbeleidigung und verhaftete ihn. Im Gefängnis allerdings besuchte Herodes den Johannes häufig, der den König insgeheim sehr beeindruckt hatte. Die beiden unterhielten sich oft und lange, und Johannes schien zunehmend 152 Einfluss auf Herodes zu gewinnen.

Herodias beobachtete dies mit wachsendem Unbehagen und musste fürchten, dass Johannes Herodes irgendwann so weit haben würde, dass er sie verlassen würde. Als sich ihr die Gelegenheit bot, Johannes den Täufer loszuwerden und ihre eigene Stellung an der Seite des Königs zu festigen, nutzte sie sie kaltblütig aus. Schützenhilfe bekam sie von ihrer schönen Tochter, die dem König den Kopf verdrehte. Herodes ging der Taktik der beiden Frauen auf den Leim – und Johannes bezahlte die Verliebtheit des Königs mit seinem Leben. (Markus 6,17-29)

Herodes hatte nämlich Johannes festnehmen und gefesselt ins Gefängnis werfen lassen. Der Grund dafür war: Herodes hatte seinem Bruder Philippus die Frau, Herodias, weggenommen und sie geheiratet. Johannes hatte ihm daraufhin vorgehalten: »Das Gesetz Gottes erlaubt dir nicht, die Frau deines Bruders zu heiraten.«
Herodias war wütend auf Johannes und wollte ihn töten, konnte sich aber nicht durchsetzen. Denn Herodes wusste, dass Johannes ein frommer und heiliger Mann war; darum wagte er nicht, ihn anzutasten. Er hielt ihn zwar in Haft, ließ sich aber gerne etwas von ihm sagen, auch wenn er beim Zuhören jedes Mal in große Verlegenheit geriet.
Aber dann kam für Herodias die günstige Gelegenheit. Herodes hatte Geburtstag und veranstaltete ein Festessen für seine hohen Regierungsbeamten, die Offiziere und die angesehensten Bürger von Galiläa. Dabei trat die Tochter von Herodias als Tänzerin auf. Das gefiel Herodes und den

153

Gästen so gut, dass der König zu dem Mädchen sagte: »Wünsche dir, was du willst; du wirst es bekommen.«

Er schwor sogar: »Ich gebe dir alles, was du willst, und wenn es mein halbes Königreich wäre!«

Das Mädchen ging hinaus zu seiner Mutter und fragte: »Was soll ich mir wünschen?«

Die Mutter sagte: »Den Kopf des Täufers Johannes.«

Schnell ging das Mädchen wieder hinein zum König und verlangte: »Ich will, dass du mir sofort auf einem Teller den Kopf des Täufers Johannes überreichst!«

Der König wurde sehr traurig; aber weil er vor allen Gästen einen Schwur geleistet hatte, wollte er die Bitte nicht abschlagen. Er schickte den Henker und befahl ihm, den Kopf von Johannes zu bringen.

Der Henker ging ins Gefängnis und enthauptete Johannes. Er brachte den Kopf auf einem Teller herein, überreichte ihn dem Mädchen, und das Mädchen gab ihn seiner Mutter.

Als die Jünger des Täufers erfuhren, was geschehen war, holten sie den Toten und legten ihn in ein Grab.

Die Ehe als Bild für Gottes Liebe

Die Bibel erzählt viele Liebesgeschichten von Männern und Frauen – aber vor allem erzählt sie die eine große Liebesgeschichte Gottes zu seinen Menschen. Sie berichtet davon, wie Gott sich unter den vielen Menschen ein besonderes Volk auswählte, wie er dieses Volk begleitete, ihm ein Land schenkte, es gegen seine Feinde bewahrte und ihm in vielen historischen Bedrohungen half zu überleben. Sie erzählt aber auch, dass das Volk trotz Gottes Bewahrung immer wieder andere Götter verehrte und sich von Gott abwandte. Sie berichtet von der Eifersucht Gottes, von seinem Zorn – und von seinem Erbarmen, dass er sein Volk nicht wirklich verlässt, sondern ihm immer und trotz allem treu an der Seite steht.

Kein Wunder, dass die Propheten Hosea und Ezechiël die Beziehung zwischen Gott und seinen Menschen mit der Ehe verglichen haben – und mit der Treue, die ein betrogener Ehepartner trotz allem durchhalten kann.

Du hast mich betrogen
Die Botschaft des Propheten Hosea

Der Prophet Hosea wirkte zwischen 750 und 722 v. Chr. im Nordreich Israel. Dies war eine politisch höchst verworrene Zeit. Binnen kurzer Frist regierten sechs Könige das Land, von denen vier ermordet wurden. Doch nicht nur politisch, auch religiös ging es turbulent zu: Die Israeliten beteten nicht nur zu ihrem Gott, sondern verehrten zugleich auch die Fruchtbarkeitsgötter der Kanaaniter. Sie hatten dabei nicht das geringste Unrechtsbewusstsein. Hosea aber nannte dieses Verhalten »Ehebruch« und warnte die Israeliten davor, Gott weiter zu betrügen. Er verglich Gott mit einem Ehemann, der herausfindet, dass seine Frau als Hure tätig ist. Er will ihr noch einmal eine Chance geben und fordert sie auf, die Utensilien und Kennzeichen dieses Gewerbes abzulegen und ihre Liebhaber aufzugeben. So, sagte Hosea, will auch Gott seinem Volk noch einmal eine Chance geben, wenn es die Götzenverehrung aufgibt und zu ihm allein zurückkehrt. Doch Hosea machte auch deutlich: So wie ein hintergangener Ehemann nicht endlos Geduld mit seiner Frau hat, so kann auch Gottes Geduld ein Ende haben.

Hosea hätte seinem Volk gerne das Schicksal erspart, das es dann heimsuchte. 722 v. Chr. fielen die Assyrer in das Land ein, verwüsteten und zerstörten alles. Die Israeliten wurden in alle Winde zerstreut. »Das ist die Strafe für den

Abfall von Gott, der uns doch so sehr liebt« – so wurde die Katastrophe gedeutet. (Hosea 2,4-25)

Erhebt Anklage gegen eure Mutter Israel!«, sagt der HERR. »Klagt sie an! Denn sie hat so gehandelt, dass sie nicht mehr meine Frau sein kann und ich nicht mehr ihr Mann. Sie soll die Zeichen ihrer Hurerei aus ihrem Gesicht und von ihrer Brust entfernen, alles, was daran erinnert, dass sie mir die Treue gebrochen hat. Sonst werde ich ihr alle Kleider nehmen, sodass sie nackt und bloß ist wie am Tag ihrer Geburt. Ich mache sie zu einer Wüste, zum wasserlosen Land; ich lasse sie verdursten.

Mit ihren Kindern habe ich kein Erbarmen, weil sie Kinder einer Hure sind. Ihre Mutter hat es mit anderen Männern getrieben und gesagt: ›Ich laufe meinen Liebhabern nach. Sie geben mir, was ich brauche: Brot und Wasser, Wolle und Flachs, Öl und Wein.‹ Darum versperre ich ihr den Weg mit Dornengestrüpp und verbaue ihn mit einer Mauer. Wenn sie dann ihren Liebhabern nachläuft, kann sie sie nicht erreichen; sie sucht sie, aber kann sie nicht finden. Dann wird sie sagen: ›Ich will zu meinem ersten Mann zurückkehren. Bei ihm ging es mir besser!‹

Sie wollte nicht wahrhaben, dass ich es gewesen bin, der ihr Korn, Wein und Öl gab. Mit Silber und Gold habe ich sie überhäuft – und sie hat es zu ihrem Baal getragen! Darum nehme ich mein Korn und meinen Wein wieder an mich, gerade dann, wenn sie die Ernte einbringen will. Ich nehme ihr meine Wolle und meinen Flachs, sodass sie **157** nichts mehr anzuziehen hat. Ich stelle sie nackt vor ihren Liebhabern an den Pranger und keiner von ihnen kann sie aus meiner Hand befreien.

Ich mache all ihren Freudenfesten ein Ende, den Feiern am Neumond und am Sabbat und den großen Festen im Jahreslauf. Ich vernichte ihre Weinstöcke und Feigenbäume, von denen sie sagte: ›Das ist der Lohn, den mir meine Liebhaber gegeben haben!‹ Die Pflanzungen lasse ich verwildern; was noch wächst, wird vom Wild abgefressen. So bestrafe ich sie dafür, dass sie ihren Liebhabern, den Baalen, nachgelaufen ist, dass sie ihnen Opfer dargebracht und sich für sie mit Ohrringen und Halsketten geschmückt hat – und mich hat sie vergessen! Das sage ich, der Herr.

Dann aber will ich selbst sie umwerben. Ich werde sie in die Wüste bringen und ihr zu Herzen reden. Dort wird sie meine Liebe erwidern wie damals, als sie jung war, als sie aus Ägypten kam. Danach werde ich sie zurückbringen und ihr die Weinberge wiedergeben, und das Achortal, das »Unglückstal«, soll zu einem Tor der Hoffnung werden.

Wenn das geschieht, wirst du mich deinen Mann nennen – sagt der Herr zu Israel – und nicht mehr deinen Baal. Ich werde dich dazu bringen, dass du das Wort Baal nie mehr in den Mund nimmst. Und ich werde mit dem Wild, den Vögeln und allen anderen Tieren eine Übereinkunft treffen, dass sie dir keinen Schaden mehr tun. Ich zerbreche alle Kriegswaffen und entferne sie aus deinem Land, sodass du in Frieden und Sicherheit leben kannst. Ich

schließe die Ehe mit dir für alle Zeiten; mein Brautgeschenk für dich sind meine Hilfe und mein Schutz, meine Liebe, mein Erbarmen und meine unwandelbare Treue. Du wirst erkennen, wer ich bin – ich, der HERR.

Zu jener Zeit – sagt der HERR – werde ich die Bitten des Himmels erhören und der Himmel die Bitten der Erde. Die Erde wird die Bitten von Korn, Wein und Öl erhören und Korn, Wein und Öl die Bitten von Jesreel. Ich will dich, Israel, wieder in dein Land einsäen. War dein Name zuvor ›Kein Erbarmen‹, so werde ich mich jetzt über dich erbarmen. Warst du zuvor ›Nicht mein Volk‹, so sage ich jetzt zu dir: ›Du bist mein Volk‹, und du antwortest: ›Du bist mein Gott!‹«

Hintergangen und doch treu
Die Botschaft des Propheten Ezechiël

Rund 150 Jahre später griff der Prophet Ezechiël das Bild, das Hosea geprägt hatte, wieder auf und malte es noch viel detailreicher aus. Zu seiner Zeit existierte nur noch das Südreich, doch auch das war bedroht: Die Babylonier standen an den Grenzen. Wie schon zu Hoseas Zeiten zelebrierten die Israeliten weiterhin eine Art »Patchwork-Religion«. Wie Hosea, so wollte auch Ezechiël dem Volk den Untergang ersparen und knüpfte an die Rede seines Vorgängers an.

Ezechiël verglich Gott mit einem Mann, der mit viel Zuneigung, großer Aufmerksamkeit, tiefer Liebe und selbstloser Hingabe für seine Frau da war – und dann erleben musste, wie sie ihn hinterging. Ezechiël hielt Israel bildreich vor Augen, wie gut Gott es durch die Jahrhunderte hindurch doch mit Israel gemacht hatte – aber er warnte auch vor Gottes Eifersucht und seinem Zorn. Wie Hosea, so redete auch Hesekiel vergeblich. Er stand bald schon vor den Trümmern: 587 v. Chr. marschierten die Babylonier ein, der Staat hörte auf zu existieren.

In Ezechiëls Bildrede klingt aber auch eine leise Hoffnung an: dass Gott nicht ewig zornig bleiben wird. Und genau dies, dass Gottes Liebe nicht vergeht, hat das Volk Israel erfahren, als vierzig Jahre später die babylonische Herrschaft zerbrach und man zurückkehren durfte in die Heimat. (Ezechiël 16)

Das Wort des HERRN erging an mich, er sagte: »Du Mensch, mache der Stadt Jerusalem klar, was für abscheuliche Dinge sie tut! Halte ihr vor: ›So spricht der HERR, der mächtige Gott: Du bist eine Kanaaniterin; hier im Land wurdest du geboren. Dein Vater war ein Amoriter, deine Mutter eine Hetiterin. Und so erging es dir bei deiner Geburt: Deine Nabelschnur wurde nicht ordentlich abgeschnitten, du wurdest nicht gebadet und mit Salz abgerieben, du wurdest nicht in Windeln gewickelt. Niemand kümmerte sich um dich, niemand hatte Mitleid mit dir und versorgte dich. Du wurdest aufs freie Feld geworfen, weil niemand dich haben wollte. So erging es dir, als du geboren wurdest.

Da kam ich vorüber und sah dich in deinem Blut liegen und zappeln. Ich sagte zu dir: Du sollst leben! Du sollst leben und gedeihen! Ich ließ dich aufblühen wie eine Blume. So wuchst du heran und wurdest groß und überaus schön. Die Brüste wurden rund und das Schamhaar sprosste. Aber noch immer warst du nackt und bloß.

Wieder kam ich an dir vorüber und ich sah, dass du zur Liebe reif warst. Da nahm ich dich zur Frau. Ich breitete meinen Gewandsaum über dich zum Zeichen, dass du mir gehören und nicht mehr nackt und bloß sein solltest. Ich schwor dir Treue und schloss den Bund fürs Leben mit dir, ich, der HERR. So wurdest du mein.

Ich badete dich und wusch dir das Blut ab, salbte dich mit Öl und gab dir ein buntes Kleid und Sandalen aus weichem Leder, ein Kopftuch aus feinstem Leinen und einen schön gewebten Mantel. Ich legte dir Schmuck an: Armspangen, Halskette, Nasenring, Ohrringe und einen kostbaren Stirnreif. So warst du nun mit Gold und Silber geschmückt und trugst Kleider aus den schönsten und erlesensten Stoffen. Du hattest Gebäck aus feinstem Mehl zu essen, das mit Honig und Öl bereitet war. Du warst unaussprechlich schön und wurdest zur Königin. Alle Welt rühmte deine Schönheit, die durch meinen Schmuck erst vollkommen wurde‹, sagt der HERR, der mächtige Gott!

›Aber du vergaßt, dass du deine Schönheit und deinen Ruhm mir verdanktest. Du wurdest übermütig und locktest mit deinen Reizen jeden an, der vorbeikam. Jedem botest du dich an. An den Plätzen, wo man die Götzen verehrt, breitetest du deine bunten Kleider aus und hurtest herum. Dazu hätte es niemals kommen dürfen.

Aus dem Silber und Gold, das ich dir geschenkt hatte, machtest du dir Götzen und betrogst mich mit ihnen. Du zogst ihnen deine bunten Gewänder an und opfertest ihnen den Weihrauch und das Öl, das du von mir bekommen hattest. Die Leckerbissen, die ich dir gegeben hatte, das feine Honiggebäck, brachtest du zu ihnen, um sie damit zu erfreuen. So weit kam es‹, sagt der HERR, der mächtige Gott.

›Aber du hast noch Schlimmeres getan! Du hast nicht nur mit den Götzen gehurt, sondern ihnen auch noch die Söhne und Töchter zum Fraß vorgeworfen, die du mir geboren hattest. Du hast meine Kinder geschlachtet und als Opfer für deine Götzen verbrannt. So hast du es getrieben und hast ganz vergessen, was ich für dich getan hatte, als du noch nackt und zappelnd in deinem Blut auf der Erde lagst.

Deine Schandtaten musst du büßen. Dafür stehe ich ein, ich, der mächtige Gott. Du hast auf jedem freien Platz und an jeder Straßenecke dein Hurenlager aufgeschlagen und hast deine Schönheit in den Schmutz gezogen. Du warst unersättlich und hast vor jedem, der vorüberging, die Beine gespreizt.

Deine Nachbarn, die Ägypter mit dem großen Glied, waren deine besten Freunde; mit ihnen hast du gehurt, um mich zu kränken. Da strafte ich dich und nahm dir einen

Teil von dem, was ich dir geschenkt hatte. Ich gab dich der

Gier der Philisterinnen preis, die dich hassten, die aber von deinem schamlosen Treiben selber angewidert waren. Doch du hattest noch nicht genug und gingst zu den Assyrern, um mit ihnen zu huren, und auch das reichte dir noch nicht. Darum triebst du es mit den Babyloniern, diesem Händlervolk; doch auch da bekamst du nicht genug. Du branntest darauf, dich hinzugeben; an Schamlosigkeit warst du nicht mehr zu übertreffen‹, sagt der HERR, der mächtige Gott.

›An jeder Straßenecke und an jedem freien Platz hast du dein Hurenlager aufgeschlagen. Aber du hast dich nicht wie eine Hure für Geld hingegeben. Du hast deinen Ehemann mit fremden Männern betrogen, und während man eine Hure bezahlt, hast du deine Liebhaber noch mit Geschenken angelockt, damit sie von überallher zu dir kamen. Anderen Frauen läuft man nach und gibt ihnen Geld, aber dir läuft niemand nach und du zahlst auch noch dafür. So sehr bist du aus der Art geschlagen.

Jerusalem, du Hure! Höre das Wort des HERRN! So spricht der HERR, der mächtige Gott: Weil du dich vor deinen Liebhabern und deinen ekelhaften Götzenbildern nackt ausgezogen und den Götzen deine Kinder geopfert hast, rechne ich jetzt mit dir ab. Ich rufe deine ganze Kundschaft zusammen, die Männer, mit denen du gehurt hast, und auch die anderen, die du nicht mochtest. Wenn sie von überallher zusammengelaufen sind, dann hebe ich vor ihren Augen deine Kleider hoch und gebe dich der Schande preis. Ich verfahre mit dir, wie es das Gesetz für eine Ehe-   **163** brecherin und Mörderin vorschreibt. Weil du meinen Zorn gereizt und meine Eifersucht geweckt hast, verurteile ich dich zum Tod.

Ich liefere dich ihnen aus, dass sie deine Hurenbude und deine Götzenaltäre einreißen, dir deinen Schmuck nehmen, dir die Kleider vom Leib reißen und dich nackt und bloß liegen lassen. Dann werden sie eine Gerichtsversammlung einberufen. Sie werden dich steinigen und deine Leiche mit dem Schwert in Stücke hauen. Alle Frauen werden sehen, wie man das Urteil an dir vollstreckt und deine Häuser niederbrennt. Aus ist es dann mit deiner Hurerei, du kannst dir keine Liebhaber mehr kaufen! Dann ist endlich mein Zorn und meine Eifersucht gestillt; ich habe wieder Ruhe und muss mich nicht mehr von dir kränken lassen.

Du warst undankbar und vergaßest, was ich seit deiner Kindheit für dich getan hatte. Durch dein schamloses Treiben hast du mich herausgefordert. Jetzt musst du die Folgen tragen. Das sage ich, der HERR, der mächtige Gott.

Jerusalem, man wird dich verspotten mit dem Sprichwort: Wie die Mutter, so die Tochter! Du bist um kein Haar besser als deine Mutter und deine Schwestern – auch die scherten sich nicht um Mann und Kinder. Wie deine Schwestern, zwischen denen du wohnst, hast du eine Hetiterin zur Mutter und einen Amoriter zum Vater. Deine größere Schwester ist die Stadt Samaria im Norden mit ihren Tochterstädten und deine kleinere Schwester die Stadt Sodom im Süden mit ihren Tochterstädten. Alle Schändlichkeiten hast du den beiden nachgemacht und sie darin in kurzer Zeit übertroffen.

So gewiss ich, der HERR, lebe: Deine Schwester Sodom mit ihren Töchtern hat sich nicht so schändlich benommen wie du und deine Töchter! Sie war eingebildet und lebte mit ihren Töchtern sorglos und im Überfluss; um Arme und Unterdrückte kümmerte sie sich nicht. Sie war überheblich und beging abscheuliche Verbrechen. Als ich das sah, schaffte ich sie weg.

Auch Samaria hat nicht die Hälfte deiner abscheulichen Taten begangen. Du hast viel mehr gesündigt als sie beide. Du hast es so schlimm getrieben, dass deine beiden Schwestern neben dir geradezu unschuldig dastehen.

Weil du viel schlimmer warst als deine Schwestern und sie durch dein schmutziges Treiben reingewaschen hast, musst du dich schämen und deine ganze Schande tragen.

Doch dann wende ich für Sodom und Samaria alles wieder zum Guten und auch für dich, Jerusalem, die du so tief gefallen bist wie sie! Das tue ich, damit du einsiehst, wie schändlich du gehandelt hast. Du sollst dich schämen, dass du sogar noch verdorbener warst als deine Schwestern und sie damit entlastet hast. Ihr alle drei samt euren Tochterstädten werdet wieder aufgebaut werden und blühen wie früher.

In deinem Hochmut hast du über deine Schwester Sodom die Nase gerümpft, aber jetzt wissen alle, dass du nicht besser bist als sie. Wie du deine Schwester Sodom verachtet hast, so verachten dich jetzt alle deine Nachbarinnen, die **165**

Edomiterinnen und die Philisterinnen. Du musst nun die Folgen deines schamlosen Treibens und deiner abscheulichen Verbrechen tragen. Das sage ich, der Herr, der mächtige Gott.‹«

Weiter sagt der Herr, der mächtige Gott: »Wie du mir, so ich dir! Du hast mir Treue geschworen und sie nicht gehalten. Aber obwohl du den Bund gebrochen hast, den ich mit dir in deiner Jugend geschlossen hatte, will ich zu meinem Wort stehen und mit dir einen Bund für alle Zeiten schließen. Du wirst darüber beschämt sein, wie schändlich du gehandelt hast, wenn ich dich über deine beiden Schwestern stellen und sie dir als Töchter geben werde. Das ist noch mehr, als ich dir einst zugesagt hatte, als ich den Bund mit dir schloss.

Wenn ich so handle, wirst du erkennen, dass ich der Herr bin. Ich nehme deine ganze Schuld von dir, damit du in dich gehst und vor Scham verstummst. Das sage ich, der Herr, der mächtige Gott.«

Jesus und die Liebe

Zeichen der Liebe
Eine Frau salbt Jesus

Ob sich Jesus wohl auch einmal verliebt hat, ob er gar verheiratet war? Darum ranken sich wilde Spekulationen. Das Neuen Testament schweigt dazu. Aber es erzählt, dass Jesus Zärtlichkeit und Liebe geschenkt bekam, als eine Frau ihn salbte. Sie war eine stadtbekannte Prostituierte, und er hatte ihr zuvor geholfen und ihre Seele geheilt. Die frommen Männer, die die Salbung beobachteten, waren davon nicht begeistert. Sie konnten es absolut nicht verstehen, dass Jesus sich von »so einer« berühren ließ. Doch Jesus spürte die Dankbarkeit und die wahre Liebe dieser Frau – und die zählten für ihn mehr als Status und Moral. (Lukas 7,36-50)

Ein Pharisäer hatte Jesus zum Essen eingeladen. Jesus ging in sein Haus und legte sich zu Tisch. In derselben Stadt lebte eine Frau, die als Prostituierte bekannt war. Als sie hörte, dass Jesus bei dem Pharisäer eingeladen war, kam sie mit einem Fläschchen voll kostbarem Salböl. **167**

Weinend trat sie an das Fußende des Polsters, auf dem Jesus lag, und ihre Tränen fielen auf seine Füße. Mit ihren Haaren trocknete sie ihm die Füße ab, bedeckte sie mit Küssen und salbte sie mit dem Öl.

Als der Pharisäer, der Jesus eingeladen hatte, das sah, sagte er sich: »Wenn dieser Mann wirklich ein Prophet wäre, wüsste er, was für eine das ist, von der er sich da anfassen lässt! Er müsste wissen, dass sie eine Hure ist.«

Da sprach Jesus ihn an: »Simon, ich muss dir etwas sagen!«

Simon sagte: »Lehrer, bitte sprich!«

Jesus begann: »Zwei Männer hatten Schulden bei einem Geldverleiher, der eine schuldete ihm fünfhundert Silberstücke, der andere fünfzig. Weil keiner von ihnen zahlen konnte, erließ er beiden ihre Schulden. Welcher von ihnen wird ihm wohl dankbarer sein?«

Simon antwortete: »Ich nehme an: der, der ihm mehr geschuldet hat.«

»Du hast Recht«, sagte Jesus.

Dann wies er auf die Frau und sagte zu Simon: »Sieh diese Frau an! Ich kam in dein Haus und du hast mir kein Wasser für die Füße gereicht; sie aber hat mir die Füße mit Tränen gewaschen und mit ihren Haaren abgetrocknet. Du gabst mir keinen Kuss zur Begrüßung, sie aber hat nicht aufgehört, mir die Füße zu küssen, seit ich hier bin. Du hast meinen Kopf nicht mit Öl gesalbt, sie aber hat mit kostbarem Öl meine Füße gesalbt. Darum sage ich dir: Ihre große Schuld ist ihr vergeben worden. Eben deshalb hat sie mir so viel Liebe erwiesen. Wem wenig vergeben wird, der zeigt auch nur wenig Liebe.«

Dann sagte Jesus zu der Frau: »Deine Schuld ist dir vergeben!«

Die anderen Gäste fragten einander: »Was ist das für ein Mensch, dass er sogar Sünden vergibt?«

Jesus aber sagte zu der Frau: »Dein Vertrauen hat dich gerettet. Geh in Frieden!«

Schuldig aus Liebe
Jesus und die Ehebrecherin

Dass Jesus niemals Recht und Gesetz über die Liebe stellte, davon zeugt seine Reaktion auf die Tat einer Ehebrecherin. Man hatte sie in flagranti erwischt und nun sollte sie nach dem Gesetz gesteinigt werden. Wo der Mann abgeblieben war, erfahren wir nicht. Man hatte ihn ja auch ertappt und nach dem Gesetz hätte auch er sterben müssen. Aber vermutlich ist er entwischt. Oder ließ man(n) ihn entwischen?!

Die Gesetzestreuen fragten Jesus, was mit der Frau geschehen sollte. Sie stellten ihm damit eine geschickt konstruierte Falle: Wenn Jesus die Frau zum Tode verurteilen würde, käme er mit seiner eigenen Botschaft von Liebe und Vergebung in Konflikt. Wenn er sie aber davonkommen ließe, würde er sich selbst als Gesetzesbrecher entlarven und wäre seinerseits des Todes schuldig. **169**

Auf beeindruckende Weise drehte Jesus den Spieß um. Er hielt den Hochmütigen den Spiegel vor und machte sie tatsächlich betroffen. Am Ende ist klar: Jesus verteidigt nicht die Sünde – aber einen Menschen, der einen großen Fehler gemacht hat, will er nicht verurteilen, sondern ihm eine neuen Chance geben. (Johannes 8,2-11)

Am nächsten Morgen kehrte er sehr früh zum Tempel zurück. Alle Leute dort versammelten sich um ihn. Er setzte sich und sprach zu ihnen über den Willen Gottes.

Da führten die Gesetzeslehrer und Pharisäer eine Frau herbei, die beim Ehebruch ertappt worden war. Sie stellten sie in die Mitte und sagten zu Jesus: »Lehrer, diese Frau wurde ertappt, als sie gerade Ehebruch beging. Im Gesetz schreibt Mose uns vor, dass eine solche Frau gesteinigt werden muss. Was sagst du dazu?«

Mit dieser Frage wollten sie ihm eine Falle stellen,um ihn anklagen zu können. Aber Jesus bückte sich nur und schrieb mit dem Finger auf die Erde.

Als sie nicht aufhörten zu fragen, richtete er sich auf und sagte zu ihnen: »Wer von euch noch nie eine Sünde begangen hat, soll den ersten Stein auf sie werfen!«

Dann bückte er sich wieder und schrieb auf die Erde.

Als sie das hörten, zog sich einer nach dem andern zurück; die Älteren gingen zuerst. Zuletzt war Jesus allein mit der Frau, die immer noch dort stand. Er richtete sich wieder auf und fragte sie: »Frau, wo sind sie geblieben? Ist keiner mehr da, um dich zu verurteilen?«

»Keiner, Herr«, antwortete sie.

Da sagte Jesus: »Ich verurteile dich auch nicht. Du kannst gehen; aber tu diese Sünde nicht mehr!«

Liebe, stärker als der Tod
Die Auferweckung des Lazarus

Drei Menschen hatte Jesus besonders lieb: die Geschwister Maria, Marta und Lazarus. Sie waren für ihn wie eine Familie. Bei ihnen wohnte er, wenn er im benachbarten Jerusalem war. Sie waren sein zweites Zuhause. Und die drei wiederum vertrauten Jesus. So war ihre Beziehung tief und innig geworden.

Als Lazarus schwer erkrankte, war Jesus nicht in der Nähe. Maria und Marta ließen ihn rufen. Sie waren überzeugt, dass nur er jetzt noch helfen konnte. Doch Jesus ließ auf sich warten. Er tat dies bewusst, um zu zeigen, wie tief und wie stark seine Liebe wirklich war. Dies war sicherlich eine Belastungsprobe für die Freundschaft, aber Jesus wusste: Seinen Freunden konnte er dies zumuten.

Die Reise in die Umgebung von Jerusalem war für Jesus gefährlich, denn schon einmal wollte man ihn dort töten. Die Jünger verstanden nicht, dass er sich dieser Gefahr wieder aussetzen wollte. Überhaupt waren ihnen Jesu Worte wie sein Verhalten ein Rätsel.

Als Jesus endlich bei Maria und Marta eintraf, war Lazarus tot und begraben. Ausführlich sprach Jesus mit Marta, **171** dann mit Maria. Ihre Gespräche drehten sich um Tod und Leben, Sterben und Auferstehen, Trauer und Hoffnung. Tränen flossen, und auch Jesus weinte. Und dann geschah das Unfassbare: Jesus rief Lazarus aus dem Grab, überwand dessen Tod mit seiner großen Liebeskraft. Doch dies wurde ihm selbst schließlich zum Todesurteil ...

So ist dies eine Liebesgeschichte besonderer Art: Die Liebe Gottes ist durch nichts zu zerstören, ja sie ist selbst stärker als der Tod. (Johannes 11,1-53)

Lazarus aus Betanien war krank geworden – aus dem Dorf, in dem Maria und ihre Schwester Marta wohnten. Maria war es, die später die Füße des Herrn mit dem kostbaren Öl übergossen und dann mit ihrem Haar getrocknet hat; deren Bruder war der erkrankte Lazarus. Da ließen die Schwestern Jesus mitteilen: »Herr, dein Freund ist krank.«

Als Jesus das hörte, sagte er: »Diese Krankheit führt nicht zum Tod. Sie dient dazu, die Herrlichkeit Gottes offenbar zu machen; denn durch sie wird der Sohn Gottes zu seiner Herrlichkeit gelangen.«

Jesus liebte Marta und ihre Schwester und Lazarus. Aber als er die Nachricht erhielt, dass Lazarus krank sei, blieb er noch zwei Tage an demselben Ort. Erst dann sagte er zu seinen Jüngern: »Wir gehen nach Judäa zurück!«

Sie antworteten: »Rabbi, kürzlich erst hätten dich die Leute dort beinahe gesteinigt. Und nun willst du zu ihnen zurückkehren?«

Jesus sagte: »Der Tag hat zwölf Stunden. Wenn jemand am hellen Tag wandert, stolpert er nicht, weil er das Tageslicht sieht. Lauft ihr aber in der Nacht umher, so stolpert ihr, weil das Licht nicht mehr bei euch ist.«

Danach sagte Jesus zu seinen Jüngern: »Unser Freund Lazarus ist eingeschlafen. Aber ich werde hingehen und ihn aufwecken.«

Sie antworteten: »Herr, wenn er schläft, dann geht's ihm bald besser.«

Jesus hatte jedoch von seinem Tod gesprochen; sie aber meinten, er rede nur vom Schlaf. Da sagte Jesus ihnen ganz offen: »Lazarus ist tot. Und euretwegen bin ich froh, dass ich nicht bei ihm war. So wird euer Glaube gefestigt. Aber gehen wir jetzt zu ihm!«

Thomas, der auch Zwilling genannt wird, sagte zu den anderen Jüngern: »Auf, gehen wir mit Jesus und sterben mit ihm!«

Als Jesus nach Betanien kam, lag Lazarus schon vier Tage im Grab. Das Dorf war keine drei Kilometer von Jerusalem entfernt, und viele Leute aus der Stadt hatten Marta und Maria aufgesucht, um sie zu trösten. Als Marta hörte, dass Jesus kam, ging sie ihm entgegen vor das Dorf, aber Maria blieb im Haus. Marta sagte zu Jesus: »Herr, wenn du hier gewesen wärst, hätte mein Bruder nicht sterben müssen. Aber ich weiß, dass Gott dir auch jetzt keine Bitte abschlägt.«

»Dein Bruder wird auferstehen«, sagte Jesus zu Marta.

»Ich weiß«, erwiderte sie, »er wird auferstehen, wenn alle Toten lebendig werden, am letzten Tag.«

Jesus sagte zu ihr: »*Ich* bin die Auferstehung und das Leben. Wer mich annimmt, wird leben, auch wenn er stirbt, und wer lebt und sich auf mich verlässt, wird niemals sterben, in Ewigkeit nicht. Glaubst du mir das?«

Sie antwortete: »Ja, Herr, ich glaube, dass du der versprochene Retter bist, der Sohn Gottes, der in die Welt kommen soll.«

Nach diesen Worten ging Marta zu ihrer Schwester zurück, nahm sie beiseite und sagte zu ihr: »Unser Lehrer ist hier und will dich sehen!«

Als Maria das hörte, stand sie schnell auf und lief zu ihm hinaus. Jesus selbst war noch nicht in das Dorf hineingegangen. Er war immer noch an der Stelle, wo Marta ihn getroffen hatte. Die Leute aus Jerusalem, die bei Maria im Haus waren, um sie zu trösten, sahen, wie sie aufsprang und hinauseilte. Sie meinten, Maria wolle zum Grab gehen, um dort zu weinen, und folgten ihr.

Als Maria zu Jesus kam und ihn sah, warf sie sich vor ihm nieder. »Herr, wenn du hier gewesen wärst, hätte mein Bruder nicht sterben müssen«, sagte sie zu ihm.

Jesus sah sie weinen; auch die Leute, die mit ihr gekommen waren, weinten. Da wurde er zornig und war sehr erregt.

»Wo habt ihr ihn hingelegt?«, fragte er.

»Komm und sieh es selbst, Herr!«, sagten sie.

Jesus fing an zu weinen.

Da sagten die Leute: »Er muss ihn sehr geliebt haben!«

Aber einige meinten: »Den Blinden hat er sehend gemacht. **174** Hätte er nicht verhindern können, dass Lazarus stirbt?«

Aufs Neue wurde Jesus zornig. Er ging zum Grab. Es bestand aus einer Höhle, deren Zugang mit einem Stein verschlossen war. »Nehmt den Stein weg!«, befahl er.

Marta, die Schwester des Toten, wandte ein: »Herr, der Geruch! Er liegt doch schon vier Tage im Grab.«

Jesus sagte zu ihr: »Ich habe dir doch gesagt, dass du die Herrlichkeit Gottes sehen wirst, wenn du nur Glauben hast.«

Da nahmen sie den Stein weg. Jesus blickte zum Himmel auf und sagte: »Vater, ich danke dir, dass du meine Bitte erfüllst. Ich weiß, dass du mich immer erhörst. Aber wegen der Menschenmenge, die hier steht, spreche ich es aus – damit sie glauben, dass du mich gesandt hast.«

Nach diesen Worten rief er laut: »Lazarus, komm heraus!«

Der Tote kam heraus; seine Hände und Füße waren mit Binden umwickelt und sein Gesicht war mit einem Tuch verhüllt. Jesus sagte: »Nehmt ihm das alles ab und lasst ihn nach Hause gehen!«

Viele Leute aus der Stadt, die zu Maria gekommen waren und alles miterlebt hatten, kamen zum Glauben an Jesus. Aber einige von ihnen gingen zu den Pharisäern und berichteten ihnen, was er getan hatte. Da beriefen die führenden Priester mit den Pharisäern eine Sitzung des Rates ein und sagten: »Was sollen wir machen? Dieser Mann tut viele Wunder. Wenn wir ihn so weitermachen lassen, werden sich ihm noch alle anschließen. Dann werden die Römer einschreiten und uns auch noch den Rest an Verfügungsgewalt über Tempel und Volk entziehen.«

175

Kajaphas, einer von ihnen, der in jenem Jahr der Oberste Priester war, sagte: »Ihr begreift rein gar nichts! Seht ihr nicht, dass es euer Vorteil ist, wenn einer für alle stirbt und nicht das ganze Volk vernichtet wird?«

Das sagte er aber nicht aus sich selbst, sondern als der Oberste Priester in jenem Jahr sprach er aus prophetischer Eingebung, und so sagte er voraus, dass Jesus für das jüdische Volk sterben werde – und nicht nur für dieses Volk, sondern auch, um die in aller Welt verstreut lebenden Kinder Gottes zusammenzuführen.

Von diesem Tag an waren die führenden Männer fest entschlossen, Jesus zu töten.

Verratene Liebe
Jesus und Judas

Zum Ende seines Lebens musste Jesus aber auch große Enttäuschungen und verratene Liebe erleben. Denn seine Freunde verließen, verleugneten und verrieten ihn.

Zuerst Judas: Er gab den Gegnern preis, wo sie Jesus finden und ohne große Öffentlichkeit festnehmen konnten. Dreißig Silberstücke, etwa einen Monatslohn, bekam Judas dafür. Ob er gehofft hatte, Jesus würde sich der Verhaftung widersetzen und endlich den bewaffneten Kampf gegen die Römer aufnehmen? Oder war er schlicht geldgierig? Eine Frage, die wir wohl nie beantworten werden.

Eine tragische Gestalt ist Judas in jedem Fall.

Und dann Petrus: Eben hatte er noch großspurig erklärt, er werde Jesus nie und nimmer verlassen. Auch Jesu Ankündigung, Petrus würde ihn verleugnen, warnte ihn nicht. Und kurz darauf erklärte Petrus drei Mal, mit Jesus nichts, aber auch gar nichts zu tun zu haben. Seine eigene Haut wollte er retten, deshalb log er. Als er erkannte, was er getan hatte, schämte er sich vor sich selbst.

Und schließlich die anderen Jünger, Thomas und Levi und wie sie alle hießen: Sie rannten davon, als es ernst wurde. Keiner hielt zu Jesus. Nur ein paar Frauen hatten den Mut, unter seinem Kreuz bei ihm zu bleiben. Aber die Freunde waren allesamt verschwunden.

Verratene, verleugnete, verlassene Liebe: Jesus hat dies erlebt und durchlitten. Und er hat seine Jünger trotzdem nicht fallen gelassen. Dass Jesus Petrus später die Leitung seiner Gemeinde anvertraute und die anderen zu seinen Botschaftern in alle Welt hinein machte, sind sprechende Beispiele dafür, dass Vergebung und Barmherzigkeit Menschen verändern können. (Matthäus 26,14-56; 27,1-8)

Darauf ging Judas Iskariot, einer aus dem Kreis der Zwölf, zu den führenden Priestern und sagte: »Was gebt ihr mir, wenn ich ihn euch in die Hände spiele?«

Sie zahlten ihm dreißig Silberstücke. Von da an suchte Judas eine günstige Gelegenheit, Jesus zu verraten.

Am ersten Tag der Festwoche, während der ungesäuertes Brot gegessen wird, kamen die Jünger zu Jesus und fragten: »Wo sollen wir für dich das Passamahl vorbereiten?«

Er antwortete: »Geht zu einem Mann in der Stadt – er nannte ihnen den Namen – und richtet ihm aus: ›Unser Lehrer sagt: Die Stunde meines Todes ist nah. Bei dir will ich mit meinen Jüngern das Passamahl feiern.‹«

Die Jünger taten, was Jesus ihnen aufgetragen hatte, und bereiteten das Passamahl vor.

Als es Abend geworden war, setzte sich Jesus mit den Zwölf zu Tisch. Während der Mahlzeit sagte er: »Ich versichere euch: Einer von euch wird mich verraten.«

Sie waren bestürzt, und einer nach dem andern fragte ihn: »Du meinst doch nicht mich, Herr?«

Jesus antwortete: »Der soeben mit mir das Brot in die Schüssel getaucht hat, der ist es, der wird mich verraten. Der Menschensohn muss zwar sterben, wie es in den Heiligen Schriften angekündigt ist. Aber wehe dem Menschen, der den Menschensohn verrät! Er wäre besser nie geboren worden!«

Da fragte Judas, der ihn verraten wollte: »Du meinst doch nicht etwa mich, Rabbi?«

»Doch«, antwortete Jesus, »dich!«

Während der Mahlzeit nahm Jesus ein Brot, sprach das Segensgebet darüber, brach es in Stücke und gab es seinen Jüngern mit den Worten: »Nehmt und esst, das ist mein Leib!«

Dann nahm er den Becher, sprach darüber das Dankgebet, gab ihnen auch den und sagte: »Trinkt alle daraus; das ist mein Blut, das für alle Menschen vergossen wird zur Vergebung ihrer Schuld. Mit ihm wird der Bund in Kraft gesetzt, den Gott jetzt mit den Menschen schließt. Ich sage euch: Von jetzt an werde ich keinen Wein mehr trinken, bis ich ihn neu mit euch trinken werde, wenn mein Vater sein Werk vollendet hat!«

Dann sangen sie die Dankpsalmen und gingen hinaus zum Ölberg. Unterwegs sagte Jesus zu ihnen: »Heute Nacht werdet ihr alle an mir irrewerden, denn es heißt: ›Ich werde den Hirten töten und die Schafe der Herde werden auseinander laufen.‹ Aber wenn ich vom Tod auferweckt worden bin, werde ich euch vorausgehen nach Galiläa.«

Petrus widersprach ihm: »Selbst wenn alle andern an dir irrewerden – ich niemals!«

Jesus antwortete: »Ich versichere dir: In dieser Nacht, bevor der Hahn kräht, wirst du mich dreimal verleugnen und behaupten, dass du mich nicht kennst.«

Da sagte Petrus: »Und wenn ich mit dir sterben müsste, ich werde dich ganz bestimmt nicht verleugnen!«

Das Gleiche sagten auch alle anderen Jünger.

Dann kam Jesus mit seinen Jüngern zu einem Grundstück, das Getsemani hieß. Er sagte zu ihnen: »Setzt euch hier! Ich gehe dort hinüber, um zu beten.«

Petrus und die beiden Söhne von Zebedäus nahm er mit. Angst und tiefe Traurigkeit befielen ihn, und er sagte zu ihnen: »Ich bin so bedrückt, ich bin mit meiner Kraft am Ende. Bleibt hier und wacht mit mir!«

Dann ging er noch ein paar Schritte weiter, warf sich nieder, das Gesicht zur Erde, und betete: »Mein Vater, wenn

179

es möglich ist, erspare es mir, diesen Kelch trinken zu müssen! Aber es soll geschehen, was *du* willst, nicht was ich will.«

Dann kehrte er zu den Jüngern zurück und sah, dass sie eingeschlafen waren. Da sagte er zu Petrus: »Konntet ihr nicht eine einzige Stunde mit mir wach bleiben? Bleibt wach und betet, damit ihr in der kommenden Prüfung nicht versagt. Der Geist in euch ist willig, aber eure menschliche Natur ist schwach.«

Noch einmal ging Jesus weg und betete: »Mein Vater, wenn es nicht anders sein kann und ich diesen Kelch trinken muss, dann geschehe dein Wille!«

Als er zurückkam, schliefen sie wieder; die Augen waren ihnen zugefallen.

Zum dritten Mal ging Jesus ein Stück weit weg und betete noch einmal mit den gleichen Worten. Als er dann zu den Jüngern zurückkam, sagte er: »Schlaft ihr denn immer noch und ruht euch aus? Die Stunde ist da; jetzt wird der Menschensohn an die Menschen, die Sünder, ausgeliefert. Steht auf, wir wollen gehen. Er ist schon da, der mich verrät!«

Noch während Jesus das sagte, kam Judas, einer der Zwölf, mit einem großen Trupp von Männern, die mit Schwertern und Knüppeln bewaffnet waren. Sie waren von den führenden Priestern und den Ältesten des Volkes geschickt worden. Der Verräter hatte mit ihnen ein Erkennungszeichen ausgemacht: »Wem ich einen Begrüßungskuss gebe, **180** der ist es. Den nehmt fest!«

Judas ging sogleich auf Jesus zu und sagte: »Sei gegrüßt, Rabbi!«, und er küsste ihn so, dass alle es sehen konnten.

Jesus sagte zu ihm: »Freund, komm zur Sache!«

Darauf traten die Bewaffneten heran, packten Jesus und nahmen ihn fest.

Einer von den Jüngern zog sein Schwert, hieb auf den Bevollmächtigten des Obersten Priesters ein und schlug ihm ein Ohr ab. Aber Jesus befahl ihm: »Steck dein Schwert weg; denn alle, die zum Schwert greifen, werden durch das Schwert umkommen. Weißt du nicht, dass ich nur meinen Vater um Hilfe zu bitten brauche, und er schickt mir sofort mehr als zwölf Legionen Engel? Aber wie soll sich dann erfüllen, was in den Heiligen Schriften angekündigt ist? Es *muss* doch so kommen!«

In jener Stunde sagte Jesus zu denen, die ihn festgenommen hatten: »Warum rückt ihr hier mit Schwertern und Knüppeln an, um mich gefangen zu nehmen? Bin ich denn ein Verbrecher? Täglich saß ich im Tempel und lehrte die Menschen; da habt ihr mich nicht festgenommen. Aber das alles ist so gekommen, damit in Erfüllung geht, was die Propheten in ihren Schriften angekündigt haben.«

Da verließen ihn alle seine Jünger und flohen.

Früh am Morgen schließlich fassten die führenden Priester und die Ältesten des Volkes einmütig den Beschluss, Jesus hinrichten zu lassen. Sie ließen ihn fesseln; dann nahmen sie ihn mit und übergaben ihn dem römischen Statthalter Pilatus.

181

JESUS UND DIE LIEBE

Als der Verräter Judas erfuhr, dass Jesus hingerichtet werden sollte, packte ihn die Reue und er brachte die dreißig Silberstücke zu den führenden Priestern und den Ratsältesten zurück. Er sagte zu ihnen: »Ich habe eine schwere Schuld auf mich geladen; ein Unschuldiger wird getötet und ich habe ihn verraten.«

»Was geht das uns an?«, antworteten sie. »Das ist deine Angelegenheit!«

Da warf Judas das Geld in den Tempel, lief fort und erhängte sich.

Die führenden Priester nahmen das Geld an sich und sagten: »An diesem Geld klebt Blut; es ist nach dem Gesetz verboten, solches Geld in den Tempelschatz zu tun.«

Sie berieten sich und beschlossen, davon den Töpferacker zu kaufen und als Friedhof für Ausländer zu benutzen. Noch heute heißt darum dieses Stück Land ›Blutacker‹.

Gott ist die Liebe

Das Hohelied der Liebe

Bei vielen kirchlichen Trauungen wird das »Hohelied der Liebe« aus dem Neuen Testament gelesen. Brautpaare sehen in diesen Worten eine anrührende Beschreibung ihrer Liebe zueinander: die Bedingungslosigkeit und Dauerhaftigkeit ihrer Liebe und auch ihre Belastbarkeit. Doch wenn Braut und Bräutigam aufmerksam hinhören, spüren sie, wie bedingungslos und wie belastbar die Liebe nach den Worten von 1. Korinther 13 sein soll. Und sie fragen sich: Kann unsere Liebe wirklich so tief sein, dass sie alles versteht, alles verzicht, alles erträgt? Wird das nicht von der Realität Lügen gestraft?

Ja, in der Tat: Das wird es. Denn die Liebe zwischen zwei Menschen ist trotz aller Ernsthaftigkeit und allem Bemühen immer auch fehlerhaft, zerbrechlich und eigennützig. Aber Gott sei Dank: Es ist in diesen Worten gar nicht von der Liebe zwischen Menschen die Rede. Denn der Apostel Paulus beschreibt nicht mehr und nicht weniger als Gottes Liebe zu den Menschen. Er versucht in Worte zu fassen, was er letztlich doch nicht fassen kann: Gottes Liebe zu den Menschen ist wirklich geduldig, endlos und uneigennützig. Das kann man an Jesus Christus beobachten, der ja die Liebe Gottes in Person ist. Er hat sich selbst ganz hintenan gestellt, hat alles ertragen und ausgehalten für die, die er liebt. In aller Tiefe aber können wir Menschenkinder Gottes Liebe nicht erkennen, nur schemenhaft erahnen.

Doch Paulus möchte, dass wir uns an Gottes Liebe orientieren. Deshalb nimmt er dieses Hohelied der Liebe in seinen Brief an die Gemeinde in Korinth auf. Die war nämlich heillos zerstritten, von Egoismus durchzogen und vom Zerfall bedroht. Die Christenmenschen in dieser griechischen Hafenstadt gingen sehr lieblos miteinander um. Ihnen stellt Paulus die Liebe Christi gegenüber: »Schämt euch, dass ihr euch Christen nennt und euch so verhaltet! Besinnt euch und nehmt euch das Vorbild eures Herrn zu Herzen!«

Das »Hohelied der Liebe« besingt also Gottes Liebe. Unsere menschliche Liebe ist mit ihr nicht zu vergleichen, kann sich aber immer aus Gottes Liebe speisen lassen. Deshalb ist es im Sinne des Paulus, diese Worte nicht für Traugottesdienste zu reservieren, sondern sie immer wieder zu Gehör zu bringen. Denn den Blick auf die Liebe Jesu und auf sein Vorbild brauchen wir in der Ehe ebenso wie in der Gemeindeleitung, im Beruf wie im Straßenverkehr, in der Politik wie in der Familie. (1. Korinther 13)

Wenn ich die Sprachen aller Menschen spreche
und sogar die Sprache der Engel,
aber ich habe keine Liebe –
dann bin ich doch nur ein dröhnender Gong
oder eine lärmende Trommel.
Wenn ich prophetische Eingebungen habe
und alle himmlischen Geheimnisse weiß
und alle Erkenntnis besitze,
wenn ich einen so starken Glauben habe,
dass ich Berge versetzen kann,
aber ich habe keine Liebe –
dann bin ich nichts.
Und wenn ich all meinen Besitz verteile
und den Tod in den Flammen auf mich nehme,
aber ich habe keine Liebe –
dann nützt es mir nichts.
Die Liebe ist geduldig und gütig.
Die Liebe eifert nicht für den eigenen Standpunkt,
sie prahlt nicht und spielt sich nicht auf.
Die Liebe nimmt sich keine Freiheiten heraus,
sie sucht nicht den eigenen Vorteil.
Sie lässt sich nicht zum Zorn reizen
und trägt das Böse nicht nach.
Sie ist nicht schadenfroh,
wenn anderen Unrecht geschieht,
sondern freut sich mit,
wenn jemand das Rechte tut.
Die Liebe gibt nie jemand auf,

185

in jeder Lage vertraut und hofft sie für andere;
alles erträgt sie mit großer Geduld.
Niemals wird die Liebe vergehen.
Prophetische Eingebungen hören einmal auf,
das Reden in Sprachen des Geistes verstummt,
auch die Erkenntnis wird ein Ende nehmen.
Denn unser Erkennen ist Stückwerk,
und unser prophetisches Reden ist Stückwerk.
Wenn sich die ganze Wahrheit enthüllen wird,
ist es mit dem Stückwerk vorbei.
Einst, als ich noch ein Kind war,
da redete ich wie ein Kind,
ich fühlte und dachte wie ein Kind.
Als ich dann aber erwachsen war,
habe ich die kindlichen Vorstellungen abgelegt.
Jetzt sehen wir nur ein unklares Bild
wie in einem trüben Spiegel;
dann aber schauen wir Gott von Angesicht.
Jetzt kennen wir Gott nur unvollkommen;
dann aber werden wir Gott völlig kennen,
so wie *er* uns jetzt schon kennt.
Auch wenn alles einmal aufhört –
Glaube, Hoffnung und Liebe nicht.
Diese drei werden immer bleiben;
doch am höchsten steht die Liebe.

Liebesworte, Lebeworte

In der Bibel stehen nicht nur Lese-Worte, sondern »lauter Lebeworte«, so hat es Martin Luther formuliert. Und das stimmt ja auch: Das pralle Leben mit all seiner Fülle kommt uns in der Bibel entgegen: Festtag und Alltag, Frieden und Krieg, Glück und schweres Schicksal. Und in all dem, daran halten die biblischen Schriften auch gegen allen Augenschein fest, ist Gott immer für seine Menschen da, gibt ihnen Halt und Hoffnung. Außerdem reicht seine Zukunft weit über unsere Zeit und unsere Möglichkeiten hinaus, seine Liebe hat in Zeit und Ewigkeit kein Ende.

Auch die Liebesgeschichten der Bibel sind »voll aus dem Leben« gegriffen. Als Menschengeschichten erzählen sie von tiefen Gefühlen und Leidenschaften, auch von Missverständnis und Leid. Doch weil es auch Gottesgeschichten sind, erzählen sie selbstverständlich ebenso davon, wie Gott die Liebenden bewahrt, ihnen aus schwierigen Situationen heraushilft und ihnen beisteht, dass sie unter harten Bedingungen aneinander festhalten und miteinander weitergehen können. Und dass es leider manchmal Konstellationen gibt, in denen nichts mehr zu retten ist, auch das verschweigt die Bibel nicht. Dennoch dürfen auch die Gescheiterten sicher sein, dass Gott ihnen seinen Beistand nicht verwehrt, im Gegenteil: Er geht ihnen nach, damit sich für sie neue Wege öffnen.

Die Bibel erzählt ihre Liebesgeschichten eben nicht nur, weil sie am »Damals« interessiert ist, sondern damit wir heute in unseren Partnerschaften etwas davon haben: dass wir Mut bekommen, auch in Krisen an unserer Beziehung festzuhalten; dass wir keine Scheu vor Konflikten haben; dass wir uns zu Ehrlichkeit trauen und vor Bewährungsproben nicht fürchten. Die Liebesgeschichten der Bibel sind also Mutmachgeschichten für uns heute. Wie gut, dass unser Gott, der selbst die Liebe ist, uns die Liebe geschenkt hat. Wie gut, dass er uns in all den Verwicklungen unserer Liebe nicht allein lässt. Und wie gut, dass er einen Schatz von Geschichten und Erfahrungen in der Bibel hat aufschreiben lassen, aus denen wir schöpfen können.